LES TRAVAUX D'HERCULE

Liste alphabétique complète des

Romans d'Agatha Christie

(Masque et Club des Masques)

	Masque	Club des masques
A.B.C. contre Poirot	263	296
L'affaire Prothéro	114	36
A l'hôtel Bertram	951	104
Allô! Hercule Poirot?	1175	284
Associés contre le crime	1219	244
Le bal de la victoire	1655	561
Cartes sur table	275	364
Le chat et les pigeons	684	26
Le cheval à bascule	1509	514
Le cheval pâle	774	64
Christmas Pudding (Dans le Masque : Le retour d'Hercule Poirot)		42
Cinq heures vingt-cinq	190	168
Cinq petits cochons	346	66
Le club du mardi continue	938	48
Le couteau sur la nuque	197	135
Le crime de l'Orient-Express	169	337
Le crime du golf	118	265
Le crime est notre affaire	1221	288
La dernière énigme	1591	530
Destination inconnue	526	58
Dix brèves rencontres	1723	578
Dix petits nègres	299	402
Drame en trois actes	366	192
Les écuries d'Augias	913	72
Les enquêtes d'Hercule Poirot	1014	96
La fête du potiron	1151	174
Le flambeau	1882	584
Le flux et le reflux	385	235
L'heure zéro	349	439
L'homme au complet marron	69	124
Les indiscrétions d'Hercule Poirot	475	142
Je ne suis pas coupable	328	22
Jeux de glaces	442	78
La maison biscornue	394	16
La maison du péril	157	152
Le major parlait trop	889	108
Marple, Poirot, Pyne et les autres	1832	583
Meurtre au champagne	342	449
Le meurtre de Roger Ackroyd	1	415
Meurtre en Mésopotamie	283	28
Le miroir du mort (dans le Masque : Poirot résout trois énigmes)		94

	Masque	Club des masques
Le miroir se brisa	815	3
Miss Marple au club du mardi	937	46
Mon petit doigt m'a dit	1115	201
La mort dans les nuages	218	128
La mort n'est pas une fin	511	90
Mort sur le Nil	329	82
Mr Brown	100	68
Mr Parker Pyne	977	117
Mr Quinn en voyage	1051	144
Mrs Mac Ginty est morte	458	24
Le mystère de Listerdale	807	60
La mystérieuse affaire de Styles	106	100
Le mystérieux Mr Quinn	1045	138
N ou M?	353	32
Némésis	1249	253
Le Noël d'Hercule Poirot	334	308
La nuit qui ne finit pas	1094	161
Passager pour Francfort	1321	483
Les pendules	853	50
Pension Vanilos	555	62
La plume empoisonnée	371	34
Poirot joue le jeu	579	184
Poirot quitte la scène	1561	504
Poirot résout trois énigmes	714	
(Dans le Club : Le miroir du mort)		
Pourquoi pas Evans?	241	9
Les quatre	134	30
Rendez-vous à Bagdad	430	11
Rendez-vous avec la mort	420	52
Le retour d'Hercule Poirot	745	
(Dans le Club : Christmas Pudding)		
Le secret de Chimneys	126	218
Les sept cadrans	44	56
Témoin à charge	1084	210
Témoin indésirable	651	2
Témoin muet	377	54
Le train bleu	122	4
Le train de 16 h 50	628	44
Les travaux d'Hercule	912	70
Trois souris...	1786	582
La troisième fille	1000	112
Un cadavre dans la bibliothèque	337	38
Un deux trois	359	1
Une mémoire d'éléphant	1420	469
Un meurtre est-il facile?	564	13
Un meurtre sera commis le...	400	86
Une poignée de seigle	500	40
Le vallon	361	374
Les vacances d'Hercule Poirot	351	275

AGATHA CHRISTIE

LES TRAVAUX D'HERCULE

Traduit de l'anglais par Monique Thies

LIBRAIRIE DES CHAMPS-ÉLYSÉES

Ce roman a paru sous le titre original :

THE LABOURS OF HERCULE

CHAPITRE PREMIER

LE LION DE NEMEE

(THE NEMEAN LION)

1

— Quoi de neuf, ce matin, Miss Lemon ? demanda Hercule Poirot en entrant dans son bureau.

On pouvait avoir confiance en Miss Lemon. Elle manquait d'imagination mais son instinct lui permettait de toujours trouver *le* détail intéressant. C'était une secrétaire-née.

— Pas grand-chose, monsieur Poirot. Une lettre, peut-être, qui vous intéressera. Je l'ai mise au sommet de la pile.

Poirot fit un pas en avant.

— Et de quoi s'agit-il ?

— D'un homme qui aimerait vous voir faire une enquête au sujet de la disparition du pékinois de sa femme.

Poirot interrompit brutalement son mouvement, un pied encore en l'air. Il jeta à Miss Lemon un regard de doute et de reproche. Elle ne le remarqua pas, elle tapait à la machine avec la précision et la rapidité d'un char faisant feu de toutes pièces.

Poirot était stupéfait. Stupéfait et peiné. Miss Lemon, l'indispensable Miss Lemon, l'abandonnait. Un chien. Un *pékinois* ! Et ceci après le rêve qui avait embelli sa dernière nuit. Il quittait Buckingham Palace, chaleureusement félicité, lorsque son valet était entré dans sa chambre, lui apportant son chocolat matinal.

Des mots durs et sarcastiques lui vinrent aux lèvres. Il ne les prononça pas. Miss Lemon, toute à son travail, ne les aurait pas entendus.

Avec un grognement de dégoût, il s'empara de la lettre qui couronnait la pile de courrier placée sur son bureau.

Miss Lemon n'avait pas plaisanté. Il s'agissait de l'enlèvement d'un pékinois. De l'un de ces petits monstres aux yeux globuleux, honteusement gâté par une femme trop riche. Hercule Poirot fit une moue de dédain.

Rien de remarquable, une lettre tout à fait ordinaire rédigée en style commercial. Miss Lemon avait raison, cependant. Un léger détail rendait la chose insolite.

Hercule Poirot s'assit et relut la lettre avec attention. Ce n'était pas, et de là venait sa réticence, l'un des travaux d'Hercule... mais cependant...

Il se décida :

— Voulez-vous appeler ce sir Joseph Hoggin, je vous prie, et lui demander un rendez-vous pour moi, dit-il du haut de sa voix pour couvrir le bruit de la machine.

Comme d'habitude, Miss Lemon avait vu juste.

— Je suis un homme simple, monsieur Poirot, furent les premiers mots de sir Joseph Hoggin.

De la main droite, Hercule Poirot ébaucha un geste peu compromettant. On pouvait y lire une muette admiration pour la situation de sir Joseph et sa manière de présenter les choses. Ou encore, pourquoi pas, une manifestation de doute. En effet, songeait-il, sir Joseph était simple, d'une simplicité confinant à la laideur. Son regard critique parcourut les joues tombantes, les petits yeux de porc et la bouche aux lèvres pincées. Ce visage lui rappelait quelque chose, ou quelqu'un — mais, sur le moment, sa mémoire lui fit défaut. Qu'était-ce ? La Belgique... une affaire liée à l'idée de *savon*...

... Je ne fais pas de manières, moi, poursuivit sir Joseph. Je ne tourne pas autour du pot. Beaucoup de gens, monsieur Poirot, n'auraient pas donné suite à cette histoire. On tire un trait et on oublie, mais ce n'est pas le genre de Joseph Hoggin. Je suis très riche et deux cents livres ne représentent rien pour moi.

— Je vous en félicite.

— Hein ?

Sir Joseph s'interrompit un instant. Ses petits yeux porcins se rapetissèrent davantage et il reprit avec hargne :

— ... Cela ne veut pas dire que j'aie pour habitude de flanquer l'argent par les fenêtres. Quand je veux quelque chose, je l'achète. Mais au cours normal.

— Savez-vous que je suis très cher ? fit remarquer le détective.

— Oui. Mais c'est une affaire insignifiante.

Poirot haussa les épaules.

— Je ne discute jamais. Je suis un expert et les services d'un expert se payent.

— Vous êtes le plus qualifié pour ce genre de travail, je le sais. Je me suis renseigné. Je veux connaître le fin mot de cette histoire et je ne regarde pas à la dépense. C'est pour cela que je vous ai demandé de venir.

— Vous avez beaucoup de chance.

— Hein ?

— Beaucoup de chance, reprit Hercule Poirot. Je suis, et je peux le dire en toute modestie, au sommet de ma carrière. Très bientôt, je vais prendre ma retraite, vivre à la campagne. Voyager pour voir le monde. Ou encore cultiver mon jardin. Je m'intéresse beaucoup à l'amélioration des courges. Ce sont des légumes magnifiques mais qui manquent de saveur. Mais la question n'est pas là. Il faut que vous sachiez qu'avant de me retirer je me suis imposé l'accomplissement d'une certaine tâche. Je me suis fixé douze cas à résoudre. Pas un de plus, pas un de moins. Des « Travaux d'Hercule », en quelque sorte, si j'ose m'exprimer ainsi. Votre cas, sir Joseph, sera le premier des douze et c'est son peu d'importance qui me détermine à l'accepter, termina Poirot dans un soupir.

— Importance ?

— J'ai dit « peu d'importance ». On a fait appel à moi pour des causes diverses, des meurtres, des morts inexplicables, des cambriolages, des vols de bijoux. C'est la première fois que l'on me demande d'élucider le mystère de l'enlèvement d'un pékinois.

Sir Joseph grogna.

— Vous me surprenez, dit-il. J'aurais parié que des centaines de femmes vous avaient déjà empoisonné avec leurs petits chiens-chiens.

— Et vous auriez eu raison. *Mais c'est la première fois, en pareil cas, que je suis sollicité par le mari.*

Sir Joseph apprécia la remarque et fit un clin d'œil entendu.

— Je commence à comprendre pourquoi vous m'avez été tant recommandé, monsieur Poirot. Vous êtes très subtil.

— Si vous voulez bien, maintenant, me dire quels ont été les faits. Quand le chien a-t-il disparu ?

— Il y a exactement une semaine.

— Et depuis lors, votre femme est sans doute dans un état épouvantable ?

Sir Joseph contempla Poirot avec attention.

— Vous ne me comprenez pas. Le chien a été restitué.

— Restitué ? Alors, pourquoi avoir fait appel à mes services ?

Le visage de sir Joseph s'empourpra.

— Parce que j'ai horreur de me faire escroquer ! Il y a une semaine que ce chien a été volé — escamoté dans Kensington Gardens où il se promenait avec la dame de compagnie de ma femme. Le lendemain, ma femme a reçu une lettre lui enjoignant de débourser deux cents livres ! Pour une sale bestiole piaillarde qui est toujours fourrée dans vos jambes !

— Et naturellement, vous n'étiez pas d'accord pour payer une pareille somme ?

— Bien sûr que non ! Et je ne l'aurais pas fait si j'avais su de quoi il retournait ! Milly, ma femme, le savait fort bien. Elle ne m'en a pas parlé. Elle s'est contentée d'envoyer l'argent en billets d'une livre, comme convenu, à l'adresse indiquée.

— Et le chien a été rapporté ?

— Oui. Dans la soirée, il y a eu un coup de

sonnette et nous avons trouvé ce sale petit cabot assis sur le perron. Il n'y avait personne dans la rue.

— Parfait. Et ensuite ?

— Alors, naturellement, Milly m'a tout avoué et je me suis laissé un peu emporter. J'ai fini par me calmer car, après tout, le mal était fait et on ne peut pas attendre une manifestation de bon sens de la part d'une femme. Je dois avouer que j'aurais abandonné l'affaire si je n'avais pas rencontré le vieux Samuelson, au Club.

— Oui ?

— Il s'agit sûrement d'une bande organisée ! Il lui est arrivé exactement la même chose ! Ils ont raflé trois cents livres à sa femme ! Ça dépasse la mesure. J'ai décidé qu'il fallait faire quelque chose et je me suis adressé à vous.

— Mais, sir Joseph, la seule chose à faire — et elle vous aurait coûté beaucoup moins cher — aurait été de vous adresser à la police.

— Etes-vous marié, monsieur Poirot ? demanda sir Joseph en se frottant le nez avec énergie.

— Hélas, non ! Je n'ai pas ce bonheur.

— Hum ! Ne parlons pas de bonheur mais, si vous l'étiez, vous sauriez que les femmes sont des créatures bien étranges. La mienne entre en transes dès qu'on prononce devant elle le mot de « police ». Elle s'est mis dans la tête qu'il arriverait malheur à son précieux Shan Tung si je m'adressais aux représentants de la loi. Elle n'a pas voulu en entendre parler et elle n'a pas accepté de gaieté de cœur l'idée de vous voir vous occuper de cette affaire. J'ai tenu bon et elle a fini par céder. Mais, sachez-le, elle est mécontente.

— La situation, je m'en rends compte, est délicate, dit Poirot à voix basse. Il vaudrait peut-être mieux que j'interroge votre femme afin d'apprendre d'autres détails et la rassurer en même temps quant à la sécurité future de son chien.

— Je vous accompagne, dit sir Joseph en se levant.

2

Deux femmes étaient assises dans le grand salon aux meubles massifs.

Un petit pékinois se précipita à la rencontre de sir Joseph et d'Hercule Poirot en aboyant rageusement. Il en voulait visiblement aux chevilles du détective.

— Shan, ici !

— Viens avec ta maman, mon cœur. Prenez-le, voulez-vous, Miss Carnaby.

— Un vrai lion, murmura Poirot.

— Exactement, approuva, essoufflée, la

dompteuse de Shan Tung. C'est un merveilleux chien de garde. Il n'a peur de rien.

— Je vous laisse, maintenant, monsieur Poirot, dit sir Joseph après avoir fait les présentations.

Et, sur un bref signe de tête, il quitta la pièce.

Lady Hoggin était une femme énorme et vive, à la chevelure teinte au henné. Sa dame de compagnie, Miss Carnaby, pouvait avoir une cinquantaine d'années ; elle était rondelette et aimable. Elle témoignait à Mrs Hoggin les marques d'un profond respect et la craignait visiblement.

— Racontez-moi, maintenant, madame, toutes les circonstances de ce drame abominable, demanda Poirot.

Lady Hoggin s'empourpra.

— Comme je suis heureuse de vous entendre parler ainsi. Car c'est un crime, n'est-ce pas ? Les pékinois sont des êtres excessivement sensibles, comme des enfants, monsieur Poirot. Ce pauvre Shan Tung aurait pu mourir de peur.

— Oui. Quelle cruauté ! ajouta Miss Carnaby.

— Racontez-moi ce qui s'est passé, s'il vous plaît.

— Voilà. Shan Tung faisait sa promenade dans le parc avec Miss Carnaby...

— Mon Dieu. Tout a été de ma faute. J'ai été stupide, je suis impardonnable, hoqueta Miss Carnaby, au bord des larmes.

— Je ne vous reproche rien, Miss Carnaby, mais vous auriez pu faire attention ! remarqua Lady Hoggin d'une voix acide.

Poirot se tourna vers la dame de compagnie.

— Que s'est-il passé ? répéta-t-il.

Volubile et le ton haut perché, celle-ci entreprit de tout lui raconter.

— Nous venions de traverser la promenade fleurie. Je tenais Shan Tung en laisse, bien sûr, sans cela il aurait été faire un tour sur les pelouses, et je m'apprêtais à rentrer à la maison lorsque j'ai vu un bébé dans une poussette. Un bébé adorable. Il m'a souri. Il avait de ravissantes petites joues roses et de magnifiques boucles. Je n'ai pas pu m'empêcher de demander à la nurse quel âge il avait. Dix-sept mois, m'a-t-elle répondu. Je suis certaine de ne pas avoir bavardé plus d'une minute ou deux avec elle mais, lorsque je me suis retournée, Shan Tung avait disparu. On avait coupé la laisse...

— Si vous aviez fait votre travail sérieusement, personne n'aurait pu s'approcher et couper cette laisse, interrompit Lady Hoggin, et la dame de compagnie parut sur le point de fondre en larmes.

Poirot intervint vivement.

— Et enuite ?

— Alors, j'ai cherché partout... J'ai appelé ! J'ai demandé au gardien du parc s'il avait vu un homme s'en aller avec un pékinois, rien... Je ne savais plus quoi faire. J'ai continué à chercher, mais il a bien fallu que je me résigne à rentrer à la maison.

Miss Carnaby se tut brusquement. Poirot n'eut aucun mal à imaginer la scène qui avait dû suivre.

— Et vous avez reçu une lettre ?

Lady Hoggin prit la relève.

— Oui. Au courrier, le lendemain matin. Si je voulais revoir Shan Tung vivant, me disait-on, je devais envoyer deux cents livres, en billets d'une livre, dans un paquet ordinaire adressé au capitaine Curtis, au 38, Bloomsbury Roadsquare. Si les billets étaient marqués, ou la police prévenue, alors... *alors on couperait la queue et les oreilles de Shan Tung.*

— C'est affreux ! murmura Miss Carnaby dans un sanglot. Comment les gens peuvent-ils être aussi barbares !

— Si j'envoyais l'argent aussitôt, reprit Lady Hoggin, on m'assurait que Shan Tung me serait rendu l'après-midi même, bien vivant. Mais si, ensuite, je m'adressais à la police, c'est Shan Tung qui en subirait les conséquences.

— J'ai peur, à présent... interrompit Miss

Carnaby. Bien sûr, M. Poirot n'est pas exactement un policier, mais...

— Il faudra que vous vous montriez très prudent, ajouta Lady Hoggin.

Hercule Poirot les apaisa en quelques mots.

— Je ne fais pas partie de la police. Je mènerai mon enquête avec beaucoup de tact et de discrétion. Je vous certifie, Madame, que Shan Tung ne courra aucun danger. Je vous en donne ma parole. Avez-vous encore cette lettre ?

Lady Hoggin fit un signe de dénégation.

— Non. Il était spécifié que je devais la joindre au paquet contenant l'argent.

— L'avez-vous fait ?

— Oui.

— C'est bien dommage.

— Mais nous avons encore la laisse, interrompit Miss Carnaby. Dois-je aller la chercher ?

Elle quitta la pièce aussitôt. Poirot profita de son absence pour interroger Lady Hoggin au sujet de sa dame de compagnie.

— Amy Carnaby ? Elle est parfaite. C'est une bonne âme, un peu dépassée par les événements, bien sûr, comme toutes celles que j'ai eues. Amy est absolument dévouée à Shan Tung et cette aventure l'a bouleversée. Naturellement, elle est allée s'attendrir au-dessus d'une voiture d'enfant et elle a négligé mon petit cœur, mais ces vieilles domestiques sont toutes les mêmes ! Elles deviennent idiotes dès qu'elles voient un nourrisson. Non, je suis certaine qu'elle n'est pour rien dans cette histoire.

— Cela semble en effet bien improbable. Mais le chien a disparu alors qu'elle s'en occupait et je dois m'assurer de son entière loyauté, comprenez-vous ? Depuis combien de temps est-elle à votre service ?

— Cela va faire un an. Elle avait d'excellentes références. Elle est restée longtemps avec Lady Hartingfield, une dizaine d'années, je crois, jusqu'à son mort. Ensuite, elle s'est occupée quelque temps de sa sœur infirme. C'est une très brave femme, mais complètement détraquée.

Amy Carnaby revint très essoufflée. D'un geste solennel, elle tendit à Poirot un morceau de laisse, puis elle attendit, pleine d'espoir.

— Mais oui, cette laisse a manifestement été coupée, dit Poirot. Je la garde, ajouta-t-il.

Lorsqu'il l'eut empochée, les deux femmes respirèrent, soulagées. Il avait fait le geste qu'elles attendaient de lui.

3

Hercule Poirot, par habitude, ne laissait jamais rien au hasard. Tout tendait à prouver que Miss Carnaby n'était rien d'autre qu'une femme superficielle sans grande intelligence, mais il s'arrangea cependant pour interroger une vieille dame qui était la nièce de la défunte Lady Hartingfield.

— Amy Carnaby ? lui dit Mrs Maltravers. Je m'en souviens très bien. C'est une femme excellente qui est restée aux côtés de Tante Julia jusqu'à sa mort. Elle adorait les chiens et savait merveilleusement faire la lecture. Elle avait beaucoup de tact et ne contredisait jamais une malade. Je ne crois pas qu'elle soit dans une situation délicate, je l'ai recommandée, il y a un an environ, à une vieille dame, un nom commençant par H...

Poirot lui expliqua qu'elle travaillait encore au même endroit et que, ces derniers temps, la perte d'un chien lui avait occasionné quelques difficultés

— Amy Carnaby aimait beaucoup les chiens. Ma tante avait un pékinois. Elle l'a laissé à Miss Carnaby à sa mort et celle-ci s'en est très bien occupée. Je crois que lorsqu'il est mort, elle a été très touchée. Oui, c'est une excellente femme mais ce n'est pas une intellectuelle.

— Non, pensa Hercule Poirot, ce n'était pas précisément une intellectuelle.

Puis Hercule Poirot alla voir le gardien du parc auquel s'était adressée Miss Carnaby. Il le trouva sans peine. L'homme se souvenait très bien de l'incident.

— Une femme entre deux âges, plutôt forte. Elle avait perdu un pékinois. Je la vois promener son chien tous les après-midi. Je l'avais vu arriver avec lui. Elle était dans un drôle d'état ensuite. Elle est venue en courant me demander si j'avais vu son chien partir avec quelqu'un ! Je vous demande un peu, les jardins en sont pleins, de chiens. Des terriers, des pékinois, des chiens allemands en forme de saucisses. Il y a même des lévriers. Vous pensez si je suis capable de faire la différence entre deux pékinois.

Hercule Poirot le remercia et, songeur, se dirigea vers Bloomsbury Road Square.

L'hôtel Balaclava groupait les numéros 38, 39 et 40. L'atmosphère exhalait des relents de cuisine où dominait l'odeur du hareng saur. Dans le hall, à gauche, sur une table d'acajou, trônait un chrysanthème maladif flanqué d'un classeur énorme d'où émergeaient des lettres. Poirot s'arrêta quelques instants puis alla pousser une porte, sur sa droite, qui ouvrait sur un salon dans lequel se battaient en duel quel ques petites tables et des fauteuils recouverts de cretonne aux motifs déprimants. Trois vieilles dames et un vieux monsieur très digne, à l'œil belliqueux, levèrent la tête et dévisagèrent l'intrus avec hostilité. Hercule Poirot rougit et battit en retraite.

Il emprunta le long couloir et aboutit à la cage de l'escalier. Le couloir tournait à angle droit vers ce qui devait être la salle à manger.

A mi-chemin, une porte coupait le mur, ornée du mot « Bureau ».

Poirot frappa mais ne reçut pas de réponse. Il tourna la poignée, poussa la porte. Un grand bureau couvert de papiers occupait le centre de la pièce, vide au demeurant. Poirot referma la porte et poursuivit son chemin vers la salle à manger.

Une fille à l'air triste, un tablier sale autour des reins, un panier plein de couverts sous le bras, était en train de dresser les tables.

— Pardonnez-moi, Mademoiselle, pourrais-je voir la gérante ? demanda-t-il, la voix humble.

— Ça, je ne sais pas !

— Il n'y a personne dans le bureau.

— Je ne sais pas où elle est, moi.

— Peut-être, continua Poirot, patient, pourriez-vous la trouver ?

La fille poussa un profond soupir. Ses journées n'étaient déjà pas drôles et ce travail supplémentaire la gênait.

Je vais aller voir dit-elle, misérable.

Poirot la remercia et regagna le hall d'entrée, peu désireux de se heurter une nouvelle fois aux regards hostiles des occupants du salon. Il observait le grand classeur, sur la table, lorsqu'un bruit léger et un violent parfum de violette lui annoncèrent l'arrivée de la gérante.

— Pardonnez-moi, mais je n'étais pas dans

mon bureau. Vous désirez une chambre ? dit la nouvelle venue déployant tout son charme.

— Pas exactement, Madame. J'aurais aimé savoir si l'un de mes amis n'avait pas logé chez vous, ces temps derniers. Le capitaine Curtis.

— Curtis ? Voyons c'est un nom qui me dit quelque chose...

Poirot la laissa fouiller dans ses souvenirs, puis :

— Aucun capitaine Curtis n'a habité chez vous ? insista-t-il.

— Ces temps derniers, certainement pas. Cependant, c'est un nom que j'ai déjà entendu prononcer. Pouvez-vous me décrire cet ami ?

— Ce serait assez difficile... J'imagine que vous recevez parfois du courrier adressé à des gens qui ne logent plus chez vous ?

— Bien sûr, cela arrive.

— Qu'en faites-vous, en pareil cas ?

— Nous le gardons quelque temps, jusqu'à l'arrivée du destinataire. Mais, naturellement, si des lettres ou des colis restent longtemps ici sans que l'on vienne les réclamer, je les fais reprendre par la poste.

Hercule Poirot hocha la tête, songeur.

— Je comprends fort bien. C'est que, voyez-vous, j'ai adressé une lettre à mon ami, chez vous.

Le visage de Mrs Harte s'éclaira.

— Cela explique tout. C'est un nom que j'ai

dû lire sur une enveloppe. Mais nous avons tellement d'anciens militaires qui viennent ici. Attendez un instant, je vais regarder...

Elle se pencha sur le classeur.

— ... J'ai dû rendre votre lette au facteur. Je suis désolé, Monsieur. J'espère que ce n'était pas important ?

— Non, pas du tout.

Il se dirigea vers la porte. Mrs Harte et son nuage de parfum lui firent escorte.

— Si votre ami venait...

— Je ne le pense pas. J'ai dû me tromper.

— Nos tarifs sont très modérés. Monsieur. Le café, après le dîner, est compris. Voulez-vous jeter un coup d'œil à nos chambres ?...

Poirot réussit à s'échapper, non sans peine.

4

Le salon de Mrs Samuelson était plus grand, plus meublé et plus chauffé encore que celui de Lady Hoggin. Hercule Poirot se faufila avec précaution dans un labyrinthe de consoles et de statues.

Mrs Samuelson était, elle aussi, plus grande que Lady Hoggin. Elle avait des cheveux décolorés. Son pékinois s'appelait Nanki Poo. Il suivait tous les gestes d'Hercule Poirot de ses méchants yeux globuleux.

Miss Keble, la dame de compagnie de Mrs Samuelson, à l'inverse de Miss Carnaby, était mince et fluette, mais elle parlait avec rapidité, cherchait son souffle. Elle aussi avait été vertement tancée lors de la disparition de Namki Poo.

— C'est invraisemblable, monsieur Poirot. Cela n'a pas duré plus d'une seconde. Nous étions devant chez Nanod. Une nurse m'a demandé l'heure...

Poirot l'interrompit.

— Une nurse ? Une bonne d'enfants ?

— Oui. Un bébé ravissant ! Quel petit ange. Il avait les joues roses. On dit qu'à Londres les enfants ne se portent pas bien, mais...

— Ellen ! coupa Mrs Samuelson.

Miss Keble rougit profondément et Mrs Samuelson termina elle-même l'histoire, la voix dure.

— Et pendant que Miss Keble — je me demande bien pourquoi — était penchée sur cet enfant, un infâme individu a coupé la laisse de Namki Poo et s'est enfui avec lui.

— Tout est arrivé si vite, murmura Miss Keble, les yeux pleins de larmes. Je me suis retournée et le petit chéri avait disparu. Il ne me restait qu'un bout de laisse dans la main. Peut-être aimeriez-vous voir cette laisse, monsieur Poirot ?

— Inutile, je vous remercie ! (Poirot n'avait

nullement l'intention de commencer une collection de ce genre.) Si je ne me trompe, vous avez reçu une lettre, peu après ?

Le scénario était exactement le même — la lettre, les menaces concernant la queue et les oreilles de Nanki Poo. Seules, deux choses différaient : la somme demandée — trois cents livres — et l'adresse. Cette fois, il s'agissait d'un certain commandant Blackleigh, à l'hôtel *Harrington,* au 76, de Clonmel Gardens. à Kensington.

— Lorsque Namki Poo a été en sécurité, continua Mrs Samuelson, j'ai moi-même été à cet hôtel, monsieur Poirot. Trois cents livres sont trois cents livres !

— Certes.

— La première chose que j'ai vue, en entrant dans le hall, a été ma lettre, dans un classeur. En attendant la propriétaire, je l'ai glissée dans mon sac. Malheureusement...

— Malheureusement, elle ne contenait plus que des feuilles de papier blanc.

— Comment le savez-vous ? s'écria Mrs Samuelson stupéfaite.

Poirot haussa les épaules.

— C'était évident, Madame. On s'est emparé de l'argent avant de vous rendre votre chien. Le voleur a remplacé les billets par du papier et a remis l'enveloppe à sa place pour qu'on ne remarque pas sa disparition.

— Et aucun commandant Blackleigh n'est jamais descendu dans cet hôtel.

Poirot sourit.

— ... Mon mari a été furieux. Il est entré dans une colère folle.

— Vous ne lui aviez rien dit avant d'envoyer l'argent ? demanda Poirot avec précaution.

— Certainement pas. Les hommes sont tellement bizarres lorsqu'il est question d'argent. Jacob aurait prévenu la police. Je ne voulais pas risquer que l'on fasse du mal à mon pauvre Nanki Poo. Il aurait pu lui arriver n'importe quoi ! Il a bien fallu que j'explique tout à mon mari, ensuite. Mon compte était à découvert, à la banque... Je ne l'ai jamais vu dans un pareil état. Les hommes ne pensent qu'à l'argent, conclut Mrs Samuelson en caressant son bracelet de diamants de ses doigts chargés de bagues.

5

Hercule Poirot prit l'ascenseur qui le monta jusqu'au bureau de sir Joseph Hoggin. Sir Joseph était occupé mais le recevrait bientôt s'il voulait attendre. Quelques instants plus tard, une blonde fracassante sortit du bureau directoriale les bras encombrés de dossiers. Elle gratifia le petit homme d'un regard de mépris.

Sir Joseph était assis derrière une immense table d'acajou. Il avait du rouge à lèvres sur le menton.

— Asseyez-vous, monsieur Poirot. Vous avez des nouvelles pour moi ?

— Toute l'histoire est extrêmement simple. Dans chaque cas, l'argent a été envoyé dans une pension de famille, ou un hôtel meublé dépourvu de portier ou de réceptionniste, où les clients, d'anciens militaires pour la plupart, entrent et sortent librement. Rien de plus facile que de pénétrer dans l'un de ces hôtels, de s'emparer d'une lettre dans le casier réservé à la correspondance, de l'emporter ou de la remettre en place après l'avoir vidée de l'argent qu'elle contient. Dans chaque cas, donc, la piste s'interrompt brusquement.

— Vous ne savez donc pas qui est le coupable ?

— J'ai des idées à ce sujet. Il me faudra quelques jours pour arriver à un résultat.

Sir Joseph lui lança un regard surpris.

— Bon travail. Si vous avez quoi que ce soit à m'apprendre...

— Je viendrai vous voir.

— Si vous menez cette enquête jusqu'au bout, ce sera magnifique.

— Il est impossible que j'échoue, dit Hercule Poirot, cela ne m'arrive jamais.

— Vous êtes plutôt sûr de vous, à ce qu'il paraît, dit sir Joseph, ricanant.

— Absolument, et à juste titre.

— Parfait. Mais ne vendez pas la peau de l'ours avant de l'avoir tué.

6

Hercule Poirot, assis devant son radiateur électrique, contemplait l'appareil avec une profonde satisfaction. Il en aimait les formes nettes et géométriques.

— Avez-vous bien compris, Georges ? dit-il à son valet de chambre-homme de confiance, auquel il venait de donner ses instructions.

— Parfaitement, Monsieur.

— Il s'agit certainement d'un appartement ou d'une petite maison. Cela doit se situer dans un périmètre bien déterminé. Au sud du parc, à l'est de l'église de Kensington, à l'ouest de Knightsbridge Barracks, et au nord de Fulham Road.

— Très bien, Monsieur.

— C'est un cas extrêmement curieux. Celui qui a tout organisé l'a fait avec beaucoup de talent. La vedette de cette petite industrie me semble douée de la faculté de se rendre invisible, comme le Lion de Némée, en quelque sorte. Oui, c'est très intéressant. J'aurais préféré avoir affaire à un client plus sympathique, celui-ci ressemble malheureusement à un fabricant de savon, de Liège, qui avait empoisonné sa femme pour épouser sa blonde secrétaire. Un de mes premiers succès...

— Ces blondes, Monsieur, elles en font du mal ! dit Georges, très grave.

7

— Voici l'adresse, Monsieur, annonça l'incomparable Georges trois jours plus tard.

Hercule Poirot prit le papier qu'on lui tendait.

— Parfait, Georges. Et quel jour de la semaine ?

— Le jeudi, Monsieur.

— C'est-à-dire aujourd'hui. Je n'ai pas de temps à perdre.

Vingt minutes plus tard, Hercule Poirot montait l'escalier d'un immeuble d'une petite rue triste perdue dans un quartier élégant. L'appartement numéro 10 de Rosholm Mansion était au troisième et dernier étage et il n'y avait pas d'ascenseur. L'escalier en colimaçon était raide.

Le détective s'arrêta sur le dernier palier, devant la porte numéro 10, pour reprendre sa respiration. L'aboiement d'un chien rompit brusquement le silence.

Hercule Poirot sourit et appuya sur la sonnette.

Les aboiements redoublèrent. Il y eut un bruit de pas et la porte s'ouvrit...

Miss Amy Carnaby recula précipitamment, une main sur son ample poitrine.

— Puis-je entrer ? demanda Poirot. Et, sans attendre la réponse, il franchit le seuil.

Une autre porte, à droite, était ouverte sur un petit salon. Le détective entra, suivi de Miss Carnaby qui marchait d'un pas saccadé, comme en proie à un mauvais rêve.

La pièce était minuscule et surchargée de meubles. Une très vieille femme était assise sur un canapé, devant le radiateur à gaz. A l'entrée de Poirot, un pékinois sauta du canapé où il était couché. Il s'approcha du détective et jappa, méfiant.

— Tiens, dit Poirot. Voilà donc l'acteur principal. Bonjour, mon ami.

Il se baissa, tendit la main. Le chien la renifla, ses yeux intelligents fixés sur le visage du nouveau venu.

— *Vous savez donc tout,* murmura faiblement Miss Carnaby.

— Oui. Il se tourna vers la vieille dame assise. Votre sœur, sans doute ?

— Oui. Emily, voici M. Poirot.

— Oh ! fit la vieille dame, apeurée.

— Et voici Auguste, ajouta Miss Carnaby.

Le pékinois la regarda et remua la queue. L'examen de la main de Poirot semblait le satisfaire.

Le détective prit le petit chien avec douceur, s'assit sur une chaise et installa l'animal sur ses genoux.

— Je viens de capturer le Lion de Némée. Ma tâche est terminée, dit-il satisfait.

— Vous savez réellement tout ? interrogea Miss Carnaby, la voix sèche.

— Je le pense, du moins. Vous avez monté cette « affaire » avec l'aide d'Auguste. Vous êtes sortie avec le chien de votre patronne pour lui faire faire sa promenade habituelle, vous l'avez amené ici et ensuite vous êtes allée dans le parc avec Auguste. Le gardien vous a vue avec un pékinois, comme d'habitude. La nurse, si nous l'avions retrouvée, aurait certifié, elle aussi, que vous promeniez un pékinois. Pendant que vous lui parliez, vous avez coupé la laisse d'Auguste qui est dressé à rentrer tout seul chez vous et, quelques minutes plus tard, vous déclariez qu'on venait de vous voler votre chien.

Il y eut un silence. Miss Carnaby se leva, avec une dignité un peu pathétique.

— Oui. Tout cela est vrai. Je... je n'ai rien à dire.

La vieille dame impotente, sur le canapé, se mit à pleurer doucement.

— Rien à ajouter, vraiment, Mademoiselle ?

— Rien. J'ai volé... et l'on m'a découverte.

— Vous n'avez rien à ajouter... pour votre défense ? murmura Poirot.

Les joues blanches d'Amy Carnaby s'empourprèrent au niveau des pommettes.

— Je ne regrette pas ce que j'ai fait. J'ai l'impression que vous êtes bon, monsieur Poirot. Peut-être comprendrez-vous ? C'est la peur, voyez-vous, qui m'a fait agir.

— La peur ?

— Oui. Je sais que, pour un homme, ces choses-là sont difficiles à concevoir. Je ne suis pas intelligente, je n'ai aucune instruction et je vieillis. L'avenir me fait peur. Je n'ai rien pu mettre de côté car je me suis toujours occupée d'Emily. Plus je prends de l'âge, moins j'ai de chances de trouver quelqu'un qui veuille bien de moi. Les gens préfèrent les êtres jeunes et brillants. Je ne suis pas la seule dans mon cas, j'en ai connu beaucoup d'autres. On est rejeté par tout le monde, on vit dans une pièce, sans chauffage, on n'a presque rien à manger, et on finit par ne plus arriver à payer son loyer... Bien sûr, il existe des Institutions, des maisons de vieux, mais pour y entrer, il faut l'aide d'amis influents, et je n'en ai pas. Je connais des femmes qui sont dans la même situation — des dames de compagnie pauvres, sans métier — des êtres inutiles pour qui l'avenir est très sombre...

Sa voix se brisa.

« ... Alors, reprit-elle après quelques secondes, nous nous sommes réunies, à quelques-unes, et j'ai eu cette idée, grâce à Auguste. Pour beaucoup de gens, tous les pékinois se ressemblent, comme les Chinois. En fait, c'est idiot. Celui qui les connaît bien ne pourrait pas confondre Auguste et Nanki Poo ou Shan Tung. D'abord, il est beaucoup plus intelligent et, ensuite, il est plus beau. Mais, pour en revenir à ce que je disais tout à l'heure, la plupart des gens, eux, ne font pas la différence. Alors, comme beaucoup de femmes riches possèdent des pékinois...

Poirot eut un sourire amusé.

— Votre machination a dû vous rapporter beaucoup d'argent ! Combien êtes-vous, dans votre « gang » ? Ou plutôt, combien d'opérations fructueuses avez-vous menées à bien ?

— Shan Tung était le seizième, répondit Miss Carnaby avec beaucoup de naturel.

Hercule Poirot eut un regard d'admiration pour la vieille demoiselle.

— Je vous félicite. Votre organisation est vraiment remarquable.

Emily Carnaby se mêla à la conversation.

— Amy a toujours eu le sens de l'organisation. Notre père — il était vicaire à Kellington, dans l'Essex, disait toujours d'Amy qu'elle avait le génie de la planification. Elle s'occupait de tout.

Poirot s'inclina.

— Je n'en doute pas. Vous êtes une criminelle de premier ordre, Mademoiselle.

Amy Carnaby se mit à pleurer.

— Criminelle ! Mon Dieu. J'en suis une, sans doute, mais... au fond de moi-même, je n'ai jamais eu le sentiment de l'être.

— Et quel a été votre sentiment ?

— Dans un sens, vous avez raison. Je me suis mise hors la loi mais, comment pourrais-je vous expliquer ? Presque toutes les femmes qui nous emploient sont déplaisantes et méchantes. Lady Hoggin, par exemple, est capable de me dire n'importe quoi. L'autre jour, elle a trouvé que son fortifiant avait un goût amer et elle m'a accusée d'y avoir ajouté quelque chose. Tout est comme cela. (Miss Carnaby rougit.) C'est très désagréable. Si encore nous pouvions répondre nous nous sentirions moins inférieures...

— Je comprends, dit Poirot.

— D'autant que nous les voyons jeter l'argent par les fenêtres. C'est honteux. Sir Joseph, parfois, raconte le dernier « coup » qu'il a fait à la Cité. Je ne suis qu'une femme et je ne comprends rien à la Bourse mais je me rends compte que c'est malhonnête. Tout ceci, monsieur Poirot, me fait mal au cœur et je crois que le fait de prendre un peu d'argent à ces gens-là — qui ne s'en trouveront pas gênés et qui l'ont gagné sans scrupules — n'est pas une très mauvaise action.

— Robin des Bois moderne ! Dites-moi, Mademoiselle, auriez-vous été jusqu'à mettre en pratique les menaces que vous détailliez dans vos lettres ?

— Les menaces ?

— Oui. Auriez-vous mutilé ces petits chiens ?

— Jamais de la vie ! Quelle honte. Ce n'était qu'une touche artistique.

— Très artistique, en effet. Et cela rendait ?

— Bien sûr. Si Auguste avait été dans la même situation, je sais ce que j'aurais ressenti. De plus, je ne voulais pas que ces femmes préviennent tout de suite leur mari. Tout marchait très bien. Neuf fois sur dix, la dame de compagnie était chargée de poster la lettre contenant l'argent. Nous l'ouvrions à la vapeur et remplacions les billets par des feuilles de papier. Une ou deux femmes ont envoyé la lettre elle-même, alors l'une de nous allait à l'hôtel et prenait l'enveloppe dans le classeur. Ce n'était pas difficile non plus.

— Et l'intervention de la nurse ? Cela se passait toujours de la même manière ?

— Oui. Vous savez que les vieilles filles sont connues pour l'amour qu'elles portent aux bébés. Que l'une d'entre elles se penche sur une voiture d'enfant et ne remarque plus rien de ce qui se passe autour d'elle ne peut surprendre personne.

— Vous êtes une excellente psychologue, votre organisation est remarquable et, de plus, vous jouez très bien la comédie. Vous avez été parfaite, l'autre jour, pendant que j'interrogeais Lady Hoggin. Je n'ai eu aucun soupçon. Vous n'êtes peut-être pas très instruite, au sens propre du mot, mais vous avez un cerveau et beaucoup de courage.

Miss Carnaby essaya de sourire.

— Cependant, j'ai été découverte, monsieur Poirot.

— Seulement par Moi. Il ne pouvait en être autrement ! Lorsque j'ai interrogé Mr Samuelson, j'ai compris aussitôt que l'enlèvement de Shan Tung faisait partie d'une série. J'avais appris que l'on vous avait offert un pékinois et que vous aviez une sœur impotente. Je n'ai eu qu'à demander à mon valet de chambre (il est remarquable) de trouver un petit appartement occupé par une vieille dame malade possédant un pékinois et recevant une fois par semaine la visite de sa sœur. Rien de plus simple.

Amy Carnaby se redressa.

— Vous avez été très gentil. Puis-je vous demander une faveur. Je sais que je ne puis échapper à la peine que je mérite. On va sans doute me mettre en prison — mais j'aimerais éviter toute publicité. Ce serait trop triste pour Emily et les quelques vieux amis qui nous restent. Je ne pourrais pas, par hasard, entrer en prison sous un faux nom ? Est-ce mal de vous demander cela ?

— Je crois que je puis faire plus pour vous. Mais, d'abord, il faut qu'une chose soit clairement établie. Ce trafic doit cesser. Aucun chien ne doit plus disparaître. C'est bien fini,

— Oui, oui, oui.

— Et il faut que vous rendiez l'argent subtilisé à Lady Hoggin.

Amy Carnaby traversa la pièce, ouvrit le tiroir d'un bureau et revint vers Poirot avec une liasse de billets à la main.

— J'allais le remettre à l'organisation aujourd'hui.

Poirot compta l'argent et se leva.

— J'espère pouvoir persuader Mr Hoggin de ne pas entreprendre de poursuites, Miss Carnaby.

— Non ?

Amy Carnaby claqua des mains. Emily poussa un cri de joie et Auguste aboya en remuant la queue.

— Quant à toi, *mon ami*, dit Poirot en s'adressant à lui, je voudrais que tu me donnes ce manteau d'invisibilité dont j'ai besoin. Dans aucun cas, personne n'a pensé qu'il pourrait y avoir un deuxième chien. Auguste possède la peau de lion qui rend invisible.

— D'ailleurs, monsieur Poirot, d'après la légende, les pékinois étaient autrefois des lions. Ils en ont encore le cœur !

— Auguste est sans doute le chien que vous a laissé Lady Hartingfield. On m'avait dit qu'il était mort. Vous n'avez jamais eu peur qu'il se fasse écraser lorsqu'il revient tout seul ici ?

— Oh ! non, monsieur Poirot. Il se débrouille très bien malgré la circulation. Je l'ai dressé avec soin. Il reconnaît même les rues à sens unique.

— Dans ce cas, il est supérieur à la plupart des êtres humains !

8

Sir Joseph reçut Hercule Poirot dans son bureau.

— Alors, monsieur Poirot. Toujours aussi content de vous ?

— Permettez-moi d'abord une question, répondit Poirot en s'asseyant. Je connais le coupable et j'ai assez de preuves pour le faire prendre, le cas échéant, mais si je le fais, je doute que vous récupériez jamais votre argent.

Sir Joseph devint cramoisi.

— Ne pas récupérer mon argent !

— Je ne fais pas partie de la police, continua Poirot, et j'agis dans votre intérêt. Je crois pouvoir retrouver vos deux cents livres si vous n'engagez aucune poursuite.

— Hein ! Laissez-moi réfléchir.

— C'est à vous de décider. Normalement, dans l'intérêt public, vous devriez donner une suite légale à l'affaire. Beaucoup de gens seraient de cet avis.

— L'avis des gens ! interrompit brutalement sir Joseph, ce n'est pas leur argent qui est en cause ! J'ai horreur d'être roulé. Personne ne l'a tenté sans y laisser des plumes.

— Alors, que décidez-vous ?

— Je veux ma galette ! s'écria sir Joseph en donnant un grand coup de poing sur son bureau. Personne ne peut se vanter de m'avoir eu de deux cents livres !

Alors Poirot sortit son chéquier, libella un chèque et le tendit à son vis-à-vis.

— Bon sang ! J'aimerais bien savoir qui est la crapule qui...

Poirot secoua la tête.

— Si vous acceptez ce chèque, il ne faut me poser aucune question.

Sir Joseph s'empara du papier et le mit dans sa poche.

— Ça alors, si ce n'est pas malheureux ! Enfin, j'ai retrouvé mon argent. Combien vous dois-je, monsieur Poirot ?

— Peu de chose. Comme je vous l'ai déjà dit, il s'agissait d'une affaire peu importante. Cependant, toutes les affaires dont je m'occupe concernent des meurtres.

— Cela doit être intéressant ! dit sir Joseph un peu interloqué.

— Parfois. D'ailleurs, vous me rappelez étrangement un homme à qui j'ai eu affaire il y a des années, en Belgique. Un fabricant de savon très riche. Il avait empoisonné sa femme pour pouvoir épouser sa secrétaire... Oui. La similitude est vraiment frappante, n'est-ce pas ?

Les lèvres de sir Joseph étaient devenues d'un bleu assez curieux. Ses joues avaient perdu toute couleur et ses yeux, fixés sur Poirot, semblaient prêts à jaillir de leurs orbites. Il s'affaissa dans son fauteuil avec un grognement sourd.

Brusquement, la main tremblante, il tira de sa poche le chèque et le déchira en menus morceaux.

— Voilà qui règle tout, n'est-ce pas. Admettons que ce soient vos honoraires.

— Mais voyons, Monsieur, je ne vous aurais jamais demandé autant.

— Gardez le tout !

— Dans ce cas, j'en ferai don à une œuvre de charité... Inutile de spécifier que, dans votre situation, il faudra vous montrer très prudent, n'est-ce pas ?

La réponse vint, presque inaudible.

— Il n'y a aucun danger. Je ferai attention.
« J'avais donc raison », murmura Hercule Poirot en descendant l'escalier.

9

Lady Hoggin bavardait avec son mari.
— C'est curieux, mon fortifiant n'a plus du tout le même goût. Il n'a plus cette saveur amère qui me déplaisait tant auparavant... Je me demande bien pourquoi.
— Ce sont ces pharmaciens. Ils ne sont pas fichus de faire deux fois la même chose.
— Peut-être, dit Lady Hoggin sans conviction.
— Que veux-tu que ce soit ?
— Est-ce que cet homme est arrivé à un résultat en ce qui concerne Shan Tung ?
— Oui. Il m'a rapporté l'argent.
— Qui était le coupable ? C'est un individu discret.
— Il ne me l'a pas dit. Mais tout est en ordre, maintenant.
— Un drôle de petit bonhomme, n'est-ce pas ?
Sir Joseph frissonna et jeta derrière lui un coup d'œil méfiant. Il sentait la présence invisible d'Hercule Poirot dans son dos, derrière son épaule droite. Cette présence ne le quitterait sans doute jamais.

— Diablement habile, ce type, dit-il. Et, pour lui, il ajouta : « Greta peut aller se faire pendre ! Je ne vais quand même pas risquer ma peau pour une blonde platinée. »

10

— Oh ! (Amy Carnaby, incrédule, regardait le chèque de deux cents livres.) Emily, Emily ! écoute, s'écria-t-elle.

Chère Miss Carnaby,
Permettez-moi de participer à votre œuvre charitable avant qu'elle ne cesse toute activité.
Sincèrement votre

Hercule POIROT.

— Amy ! Nous avons eu une chance folle. Songe un peu dans quelle situation nous pourrions nous trouver, en ce moment.

— La prison, si ce n'est pire... murmura Amy. Mais le danger est passé, tout est fini, n'est-ce pas, Auguste. Terminées les promenades dans le Park avec maman ou l'une de ses amies. On ne coupera plus ta laisse...

Une ombre de regret passa dans ses yeux.

— ... Cher Auguste, soupira-t-elle, si ce n'est pas malheureux... lui qui est tellement intelligent, qui peut faire n'importe quoi...

CHAPITRE II

L'HYDRE DE LERNE

(THE LERNEAN HYDRA)

1

Hercule Poirot lança un regard encourageant à l'homme assis en face de lui.

Le docteur Charles Oldfield avait une quarantaine d'années. Ses cheveux grisonnaient sur les tempes et ses yeux bleus avaient une expression inquiète. Il s'interrompit au milieu d'une phrase, hésita, parut éprouver des difficultés à en venir au fait.

— Je suis venu vous voir, monsieur Poirot, reprit-il avec un léger bégaiement, pour vous demander quelque chose. Et, à présent que je suis ici, j'ai envie de tout abandonner car, je m'en rends parfaitement compte, il s'agit de ce genre d'affaires contre lesquelles on ne peut rien.

— Et si vous m'en laissiez juge ? murmura Hercule Poirot.

— Je ne sais pas mais il me semble que, peut-être...

— Que peut-être je pourrais vous aider, acheva le détective. Eh bien, énoncez-moi votre problème.

Oldfield se redressa et Poirot remarqua une fois encore combien il avait la mine défaite.

— Comprenez-moi, dit le médecin, une note de désespoir dans la voix, cela ne servirait de rien d'aller trouver la police... Elle... elle ne pourrait rien faire. Et pourtant... ça empire chaque jour. Je... je ne sais que faire...

— *Qu'est-ce qui* empire chaque jour ?

— Les bruits... Oh ! c'est très simple. Il y a juste un peu plus d'un an, ma femme est morte. Elle avait été malade pendant des années. Et on raconte... tout le monde dit *que je l'ai tuée...* que je l'ai empoisonnée !

— Ah ! Et est-ce vrai ?

Le médecin fit un bond.

— Monsieur Poirot !

— Calmez-vous et reprenez votre siège. Nous admettrons donc que vous n'avez *pas* empoisonné votre femme. Mais votre cabinet, j'imagine, est situé à la campagne ?

— Oui. Dans le Berkshire. A Market Longhborough. Les gens y sont bavards, je l'avais déjà remarqué mais jamais je n'aurais cru que cela pouvait atteindre de telles proportions.

Il rapprocha sa chaise du bureau.

— Vous n'avez pas idée, Monsieur, par quoi je suis passé. Au début, je n'ai pas fait attention à ce qui se passait. J'ai constaté que les gens semblaient moins aimables, qu'ils avaient une certaine tendance à m'éviter... j'ai mis cela sur le compte de mon deuil récent. Puis ça s'est accentué. Dans la rue, les gens se sont mis à changer de trottoir pour ne pas avoir à m'adresser la parole. Ma clientèle diminue. Où que j'aille, j'ai conscience qu'on baisse le ton, qu'on me surveille du coin de l'œil, qu'on distille du venin derrière mon dos. J'ai même reçu des lettres... des horreurs.

Il s'interrompit un instant.

— ... Et... et je ne sais pas quoi faire, reprit-il avec véhémence. Je n'ai aucune idée. Comment me défendre contre ce réseau de mensonges, de soupçons. Comment réfuter une accusation qu'on ne vous fait jamais en face. Je suis désarmé, pris au piège... détruit lentement et sans merci.

Poirot hocha la tête, songeur.

— Oui, dit-il. Les rumeurs, tout comme l'hydre de Lerne, sont impossibles à détruire. Que l'on coupe une tête et il en repousse deux autres à la place.

— Exactement, approuva le docteur Oldfield. Je ne puis rien faire, absolument rien ! Je suis venu vous trouver en dernier ressort... mais pas une seconde, je n'ai cru que vous pourriez m'aider.

Hercule Poirot garda le silence pendant deux minutes.

— Je n'en suis pas si sûr. Votre problème m'intéresse, docteur. J'aimerais m'essayer à détruire ce monstre multicéphale. Mais, tout d'abord, expliquez-moi un peu ce qui a donné lieu à ces bavardages malveillants. Votre femme, dites-vous, est morte il y a un an. Quelle a été la cause de sa mort ?

— Un ulcère de l'estomac.

— Y a-t-il eu une autopsie ?

— Non. Elle souffrait de troubles gastriques depuis très longtemps.

Poirot hocha la tête.

— Oui. Et les symptômes d'une inflammation gastrique et d'un empoisonnement par arsenic sont très semblables... tout le monde sait cela, aujourd'hui. Au cours des dix dernières années, on a parlé d'au moins quatre affaires sensationnelles, des meurtres dont les victimes ont été enterrées sans soupçon avec un certificat de troubles gastriques. Votre femme était-elle plus jeune ou plus âgée que vous ?

— Elle avait cinq ans de plus.

— Depuis combien de temps étiez-vous mariés ?

— Quinze ans.

— Avait-elle quelque fortune ?

— Oui. Elle laisse, en gros, trente mille livres.

— Jolie somme. Elle vous revient ?

— Oui.

— Vous étiez en bons termes, votre femme et vous ?

— Certes.

— Pas de querelles ? Jamais de scènes ?

— Eh bien... (Charles Oldfield hésita.) Ma femme avait ce que l'on pourrait appeler un caractère difficile. C'était une malade, elle s'occupait beaucoup de sa santé et elle était très difficile à satisfaire. Il y avait des jours où rien de ce que je faisais ne lui plaisait.

— Oui, dit Poirot, je connais le genre. Sans doute se plaignait-elle d'être négligée, méconnue... d'avoir un mari qui serait heureux si elle mourait.

Le visage du médecin montra avec éloquence que Poirot avait vu juste.

— C'est exactement cela, reconnut-il avec un sourire sans joie.

— Avait-elle une infirmière pour prendre soin d'elle ? Ou une dame de compagnie, une femme de chambre dévouée ?

— Une infirmière-dame de compagnie. Une femme très intelligente et compétente. Vraiment, je ne crois pas qu'elle bavarderait.

— Le Bon Dieu a donné une langue à ce genre de femmes comme aux autres et elles ne l'emploient pas toujours avec sagesse. J'en suis persuadé, la garde-malade a parlé, la bonne a parlé, tout le monde a parlé ! Vous avez là le matériel idéal pour donner le point de départ à un délicieux scandale de village. Une autre question. *Qui est la femme ?*

— Je ne vous comprends pas, répondit Oldfield vivement.

— Mais oui, insista Poirot avec douceur. Je vous demande qui est la femme avec laquelle on a associé votre nom.

Le médecin se leva, le visage sévère, l'air froid.

— Il n'y a pas de femme dans cette affaire ! Je suis désolé, monsieur Poirot, d'avoir abusé de votre temps.

Puis il se dirigea vers la porte.

— Je le regrette, moi aussi, constata le détective. Votre cas m'intéresse. J'aurais aimé vous aider. Mais je ne le puis à moins de connaître toute la vérité.

— Je vous l'ai dite.

— Non...

Le médecin s'arrêta, fit demi-tour.

— Mais pourquoi tenez-vous à ce qu'il y ait une femme mêlée à cette histoire ?

— Mon cher docteur ! Croyez-vous donc que j'ignore la mentalité féminine ? Ces bavardages de village sont toujours, sans exception, basés sur les relations entre hommes et femmes.

Qu'un homme empoisonne sa femme pour partir explorer le pôle nord ou pour jouir en paix d'une vie de célibataire, cela n'intéressera pas ses voisins une seconde ! Mais que l'on soit convaincu que le meurtre a été commis pour que l'homme puisse épouser une autre femme, c'est alors que les bavardages vont bon train. C'est de la psychologie élémentaire.

— Je ne suis pas responsable de ce que pense un sale paquet de commères ! protesta le médecin avec irritation.

— Bien sûr que non ! Mais vous pourriez parfaitement revenir vous asseoir et répondre à ma question.

Lentement, à contrecœur presque, le médecin vint reprendre son siège.

— J'imagine, commença-t-il, empourpré jusqu'à la racine des cheveux, qu'on a parlé de Miss Moncrieffe. Joan Moncrieffe est ma laborantine, une jeune fille fort bien.

— Depuis combien de temps travaille-t-elle pour vous ?

— Trois ans.

— Votre femme l'aimait-elle ?

— Euh... non, pas beaucoup.

— Elle était jalouse ?

— C'était ridicule !

Poirot sourit.

— La jalousie des femmes légitimes est proverbiale. Mais laissez-moi vous dire quelque chose. Si dénuée de fondement, si extravagante qu'elle puisse paraître la jalousie est presque toujours basée sur la *réalité*. On dit, n'est-ce pas, que le client a toujours raison ? Il en est de même pour un époux jaloux.

— Ça ne tient pas debout, répondit le médecin avec fougue. Je n'ai jamais adressé une parole à Joan Moncrieffe que ma femme n'aurait pu entendre.

— C'est possible mais cela ne modifie pas la véracité de ce que je viens de vous dire. Docteur, je suis prêt à faire tout mon possible pour vous, mais j'ai besoin de votre franchise absolue, sans égard pour les apparences ou pour vos sentiments personnels. Il est vrai, n'est-ce pas, que vous vous êtes désintéressé de votre femme quelque temps déjà avant sa mort ?

Oldfield garda le silence pendant quelques minutes.

— Cette affaire me tue, dit-il enfin. Je dois espérer. Je ne sais pas pourquoi mais j'ai l'impression que vous pourrez faire quelque chose pour moi. Je vais être honnête avec vous, monsieur Poirot. J'ai été, je le crois, un bon mari pour ma femme mais je ne l'ai jamais réellement aimée.

— Et cette jeune fille, Joan ?

Le front du médecin s'embua d'une fine couche de transpiration.

— Je... je lui aurais déjà demandé de m'épouser sans ces horribles racontars.

— Ah ! nous en voici enfin aux faits exacts, dit Poirot en s'appuyant au dossier de son siège. Eh bien, docteur, je vais m'occuper de votre affaire. Mais souvenez-vous d'une chose : je trouverai la *vérité.*

— Elle ne me fait pas peur ! répondit Oldfield, amer. (Il hésita un peu avant de poursuivre.) J'ai songé à porter plainte pour calomnie. Parfois, je me dis qu'en forçant quelqu'un à formuler une accusation bien nette... je pourrais me défendre... et après, je pense que cela ne ferait que tout aggraver, que les gens diraient : *On n'a rien pu prouver, mais il n'y a pas de fumée sans feu.*

Il leva des yeux graves sur Hercule Poirot.

— Dites-moi, honnêtement, y a-t-il un moyen de sortir de ce cauchemar ?

— Il y a toujours un moyen, répondit le détective.

2

— Nous partons pour la campagne, Georges, dit Hercule Poirot à son valet de chambre.

— Vraiment, Monsieur ?

— Oui, et le voyage à pour but la destruction d'un monstre à neuf têtes.

— Ah ! oui, Monsieur ? Un monstre comme celui du loch Ness ?

— En moins tangible. Je ne fais pas allusion à un animal en chair et en os, Georges.

— J'avoue ne pas comprendre, Monsieur.

— J'aurais préféré qu'il s'agisse d'une bête. Rien n'est plus difficile à capter que la source d'une rumeur.

Hercule Poirot ne se rendit pas chez le docteur Oldfield. Il descendit à l'auberge du village et, dès le lendemain matin, il eut sa première entrevue avec Joan Moncrieffe.

C'était une grande fille aux cheveux cuivrés et aux yeux bleu calme. Elle semblait se tenir sur ses gardes.

— Ainsi le docteur Oldfield a été vous voir, dit-elle. Je savais qu'il y songeait.

Elle avait parlé sans enthousiame.

— Et vous n'approuvez pas son geste ? demanda Poirot.

Elle le regarda droit dans les yeux.

— Qu'êtes-vous en mesure de faire ? rétorqua-t-elle d'un ton froid.

— Il doit bien y avoir un moyen de se rendre maître de la situation, dit Poirot avec calme.

— Lequel ? Avez-vous l'intention d'aller trouver toutes ces vieilles corneilles pour leur dire : « *Je vous en prie, cessez donc de parler comme vous le faites. Cela fait beaucoup de mal à ce pauvre docteur Oldfield.* » Et elles vous répondront toutes. « Naturellement, je n'ai jamais cru à cette histoire ! » Et c'est ce qu'il y a de pire ! Elles ne disent pas carrément : « Avez-vous jamais pensé, chère amie, que la mort de Mrs Oldfield n'était peut-être pas exactement ce qu'elle a semblé être ? » Non, elles susurrent : « Bien sûr, je ne crois pas un mot de cette histoire au sujet du docteur Oldfield et de sa femme. Je suis persuadée qu'il n'aurait jamais fait une chose pareille ! Mais il faut reconnaître qu'il la négligeait un peu et ce n'est pas très sage d'avoir une fille aussi jeune dans son dispensaire... Je ne veux pas prétendre une seconde qu'il y ait eu quoi que ce soit de répréhensible entre eux. Oh ! non, je suis sûre que tout est pour le mieux...

La jeune fille s'interrompit, le visage empourpré, le souffle court.

— Vous paraissez très bien savoir ce que l'on dit, remarqua Hercule Poirot.

— Oh ! oui, je le sais, répondit-elle d'un ton amer.

— Et que préconisez-vous comme solution ?

— Le mieux pour lui serait de vendre son cabinet et de recommencer ailleurs.

— Ne pensez-vous pas que l'histoire risque de le suivre ?

La jeune fille haussa les épaules.

— C'est un risque à courir.

Poirot garda le silence quelques instants. Puis :

— Avez-vous l'intention d'épouser le docteur Oldfield, Mademoiselle ? demanda-t-il.

Elle ne manifesta aucune surprise.

— Il ne me l'a pas demandé.

— Et pourquoi ?

Les yeux vacillèrent une seconde.

— Parce que je l'en ai empêché.

— Ah ! Quel plaisir de rencontrer quelqu'un qui sache être franc !

— Oh ! je le serai autant que vous le voudrez. Lorsque j'ai compris que les gens racontaient que Charles s'était débarrassé de sa femme pour pouvoir m'épouser, il m'a paru que si nous nous mariions, cela apporterait de l'eau à leur moulin. J'ai espéré que ces ridicules bavardages cesseraient d'eux-mêmes s'il n'était pas question de mariage.

— Et cela n'a servi à rien ?

— Non.

— N'est-ce pas un peu étrange ?

— Ils n'ont pas grand-chose pour se distraire, ici ! répondit la jeune fille avec amertume.

— Désirez-vous épouser Charles Oldfield ?

— Oui. Je l'ai désiré presque dès le premier instant où je l'ai vu.

— Alors, la mort de sa femme est très bien arrivée, pour vous ?

— Mrs Oldfield était une femme odieuse. J'ai été ravie de sa mort.

— En effet, constata Poirot. Vous êtes franche !
Elle lui adressa un sourire railleur.

— ... Puis-je vous suggérer quelque chose ?

— Je vous en prie.

— Il ne faut pas hésiter quant au choix des moyens... Je propose que quelqu'un — vous peut-être — écrive au Home Office.

— Mais, que voulez-vous dire ?

— Tout simplement que le meilleur moyen pour mettre fin à cette histoire consisterait à faire exhumer le corps pour en pratiquer l'autopsie.

Joan fit un pas en arrière. Elle ouvrit la bouche puis la referma.

— ... Alors, Mademoiselle ? insista Poirot qui ne la quittait pas des yeux.

— Je ne suis pas d'accord avec vous.

— Pourquoi ? Un verdict de mort naturelle ferait taire tout le monde.

— Si l'on obtient ce verdict, oui.

— Vous rendez-vous compte de ce que vous dites, Mademoiselle ?

— Oui, parfaitement. Vous pensez à un empoisonnement par arsenic... On peut prouver qu'elle n'a pas été empoisonnée de cette façon. Mais il existe d'autres poisons... Des alcaloïdes végétaux. Au bout d'un an, je doute qu'on en retrouve, même si l'on s'en est servi. Et je connais les chimistes officiels. Ils peuvent très bien, sans se compromettre, déclarer que rien n'indique comment la mort a été provoquée... et les langues repartiront de plus belle !

— Qui, selon vous, est le bavard le plus invétéré du village ?

La jeune fille réfléchit un instant.

— Il me semble que la pire de toutes serait la vieille Miss Leatheran, dit-elle enfin.

— Ah ! Vous serait-il possible de me présenter à cette demoiselle... comme par hasard, de préférence ?

— Rien de plus facile. A cette heure de la matinée, toutes les vieilles corneilles du coin font leurs courses. Il nous suffit de descendre la rue principale.

Comme l'avait dit la jeune fille cela ne présenta aucune difficulté. Elle s'arrêta soudain, en face du bureau de poste, pour saluer une femme d'âge moyen. De haute taille, elle avait un grand nez et des yeux fureteurs.

— Bonjour, Miss Leatheran.

— Bonjour, Joan. Quelle délicieuse journée, n'est-ce pas ?

Tout en parlant, elle passait une revue de détail du compagnon de la jeune fille qui joua le jeu.

— Permettez-moi de vous présenter M. Poirot qui est ici pour quelques jours.

3

Un biscuit entre les doigts, une tasse de thé en équilibre sur un genou, Hercule Poirot s'autorisa à faire des confidences à son hôtesse. Miss Leatheran avait été assez bonne pour l'inviter à prendre le thé et s'était employée de son mieux à trouver ce que ce curieux petit étranger était venu faire au sein de leur communauté.

Quelque temps durant, il avait paré ses attaques avec dextérité, ne faisant qu'exciter son appétit de savoir. Puis, quand il jugea le moment propice, et le fruit mûr, il se pencha vers elle.

— Ah ! Mademoiselle, je l'avoue, vous êtes trop habile pour moi. Vous avez percé mon secret, je le vois. Je suis ici à la demande du Home Office. Mais, je vous en prie — il baissa le ton — *gardez ceci pour vous !*

— Mais comment donc ! s'écria Miss Leatheran, transportée d'enthousiasme. Le Home Office ?... Voulez-vous dire que... *Oh, non !* Pas la pauvre Mrs Oldfield ?

Poirot acquiesça de la tête, lentement, et à plusieurs reprises.

— Eh bien ! Et la vieille demoiselle sut mettre en ce mot tout un trésor d'émotions diverses.

— L'affaire est délicate, comprenez-vous, insista Poirot. Je suis chargé de me rendre compte si les faits justifient une exhumation.

Miss Leatheran poussa une exclamation.

— On va déterrer cette pauvre petite ! Mais c'est terrible !

A l'entendre, on aurait davantage compris qu'elle ait dit : « Mais c'est splendide ! »

— Et vous, Mademoiselle, quelle est votre opinion ?

— Oh ! Evidemment, on a beaucoup parlé. Mais je n'écoute jamais les bavardages. On dit tant de choses ridicules. Cela ne fait aucun doute, ce docteur Oldfield a eu un comportement très étrange depuis l'événement, mais, comme je ne cesse de le répéter, on ne peut avec certitude attribuer cela à une mauvaise conscience. C'est peut-être seulement le chagrin. Non pas que sa femme et lui aient été en excellents termes. Cela, *je le sais,* et de première main, par l'infirmière qui a soigné cette pauvre Mrs Oldfield pendant trois ou quatre ans, jusqu'à la fin. J'ai toujours eu l'impression que cette Miss Harrison soupçonnait quelque chose. Non pas qu'elle ait jamais dit quoi que ce fût. Mais on peut beaucoup déduire, n'est-ce pas, du comportement de quelqu'un !

— Il y a très peu de chose sur quoi se baser, constata Poirot avec amertume.

— Oui, je sais, mais si l'on exhume le corps, alors on saura. Il y a déjà eu des cas de ce genre, poursuivit Miss Leatheran, le nez frémissant. Amstrong, par exemple, et cet autre... je ne me souviens pas de son nom. Et puis, Crippen, bien sûr. Je me suis toujours demandée si Ethel Le Neve était mêlée à l'affaire. Joan Moncrieffe est une jeune fille charmante, j'en suis persuadée... Jamais je n'irai jusqu'à dire qu'elle l'a incité... Mais les hommes perdent vite la tête pour une fille. Et ils étaient toujours ensemble !

Poirot se taisait. Il regardait la vieille demoiselle avec une expression d'innocent intérêt calculé pour entraîner un nouvel afflux de bavardage.

« ... Et, bien sûr, avec une autopsie... Et les domestiques... qui savent tant de choses... on ne peut pas les empêcher de bavarder. La Béatrice des Oldfield a été renvoyée presque aussitôt après les obsèques. Et je me suis toujours demandée pourquoi... C'est étrange, surtout aujourd'hui où l'on a tellement de mal à trouver une bonne. C'est à croire que le docteur Oldfield ait craint qu'elle sache quelque chose. »

— Oui, dit Poirot avec solennité, il semble bien que l'enquête soit justifiée.

Miss Leatheran fut secouée d'un petit frisson.

— Oh, mon Dieu ! dit-elle, quand on pense à notre paisible petit village devenu la proie des journaux et toute cette *publicité* !

— Cela vous effraie ?

— Un peu, je suis démodée, voyez-vous.

— Et, comme vous dites, il n'y a peut-être rien que des bavardages !

— C'est que, en toute conscience, je n'irais pas assurer cela. Voyez-vous... il n'y a pas de fumée sans feu.

— Je me disais exactement la même chose, dit Poirot qui se leva. Je puis compter sur votre discrétion, Mademoiselle ?

— Oh, mais comment donc ! Je ne soufflerai mot à personne.

Le petit détective sourit et prit congé. Gladys, la petite bonne de Miss Leatheran, l'attendait dans le couloir avec son chapeau et son pardessus.

— Je suis ici pour enquêter sur les circonstances de la mort de Mrs Oldfield, lui confia Poirot. Mais je vous serais obligé de garder cela pour vous.

La jeune bonne faillit tomber à la renverse dans le porte-parapluies.

— Oh ! Monsieur ! Alors, c'est bien le docteur qui l'a fait ?

— Il y a déjà quelque temps que vous y croyez, n'est-ce pas ?

— Mais, Monsieur, ce n'est pas moi. C'est Béatrice. Elle était là-bas quand Mrs Oldfield est morte.

— Et, d'après elle, insista Poirot en choisissant à dessein des mots mélodramatiques, il s'était passé quelque perfidie ?

Gladys acquiesça vivement, très émue.

— Oui, c'est ce qu'elle a dit et puis aussi

Miss Harrison qui était infirmière là-haut. Elle aimait beaucoup Mrs Oldfield. Elle a eu beaucoup de peine quand elle est morte. Et Béatrice, elle a dit comme ça que Miss Harrison, elle, savait quelque chose parce qu'elle s'est tournée contre le docteur tout de suite après et elle l'aurait pas fait s'il n'y avait pas eu quelque chose de louche, n'est-ce pas ?

— Où est cette demoiselle Harrison, maintenant ?

— Elle s'occupe de la vieille Bristow, tout au bout du village. Vous pourrez pas vous tromper. Il y a des piliers et un porche.

4

Il s'était écoulé fort peu de temps quand Poirot se retrouva assis face à la femme qui savait certainement plus que n'importe qui à quoi s'en tenir quant aux circonstances ayant donné le point de départ à tous les bruits.

Miss Harrison était une femme proche de la quarantaine et encore très séduisante. Elle avait des traits calmes et purs de madone et de grands yeux bruns sympathiques. Elle écouta Poirot avec patience et attention.

— Oui, dit-elle ensuite, je sais que des histoires déplaisantes ont couru. J'ai fait ce que j'ai pu pour les arrêter. Mais c'était sans espoir. Les gens aiment le scandale.

— Mais il a dû y avoir *quelque chose* pour donner naissance à ces bruits ?

Son expression de tristesse s'accentua mais elle se contenta de secouer la tête, perplexe.

— ... Peut-être, suggéra Poirot, a-t-il suffi qu'on sache que le docteur Oldfield et sa femme ne s'entendaient pas bien ?

— Oh, non ! répondit très vite l'infirmière. Le docteur était toujours très patient et très doux avec sa femme.

— Il l'aimait réellement beaucoup ?

Elle hésita.

— Non... Je ne voudrais pas dire cela. Mrs Oldfield était très difficile à satisfaire, exigeant une attention, une sympathie qui n'étaient pas toujours justifiées.

— Entendez-vous par-là qu'elle exagérait la gravité de son état ?

L'infirmière acquiesça.

— Oui... sa santé, pour une bonne part, dépendait de son imagination.

— Et cependant, constata Poirot avec gravité, *elle est morte...*

— Oh ! je sais, je sais...

Il la regarda, nota sa perplexité visible, son trouble.

— Je pense... Je suis sûr, que vous savez qui donna le départ à toutes ces histoires.

Miss Harrison rougit.

— C'est-à-dire que je pourrais, peut-être... C'est Béatrice, la bonne, qui commença à parler et je crois savoir qui lui mit l'idée en tête.

— Oui ?

— J'ai surpris, un jour, une bribe de conversation entre le docteur Oldfield et Miss Moncrieffe et je suis à peu près sûre que Béatrice l'a entendue, elle aussi. Mais je doute qu'elle veuille jamais l'admettre.

— De quoi s'agissait-il ?

L'infirmière rassembla ses souvenirs.

— Cela se passait trois semaines environ avant l'attaque qui devait emporter Mr Oldfield. Ils étaient dans la salle à manger. Je descendais l'escalier lorsque j'ai entendu Joan Moncrieffe dire : « Combien de temps cela va-t-il durer encore ? Je n'ai pas la force d'attendre davantage. »

« Et le docteur lui a répondu : « Plus longtemps, maintenant, chérie, je te le jure. » Et elle a ajouté : « Je ne peux plus supporter cette attente. Tout va bien se passer, n'est-ce pas ? » — « Bien sûr, a-t-il dit. Rien ne peut tourner mal. A la même époque, l'année prochaine, nous serons mariés. »

Je savais le docteur Oldfield et Miss Moncrieffe bons amis, qu'il l'admirait beaucoup, mais c'était la première fois que je rendais compte qu'il y avait quelque chose entre eux.

Je remontai l'escalier. Cela m'avait fait un choc... Mais j'avais remarqué que la porte de la cuisine était ouverte. Et, depuis, j'ai pensé que Béatrice avait dû écouter. On pouvait interpréter cette conversation de deux façons. Le docteur Oldfield voulait peut-être dire tout simplement qu'il savait sa femme très malade et qu'elle ne vivrait plus longtemps. Quant à moi, je ne doute pas que c'était là sa pensée. Mais pour quelqu'un comme Béatrice, cela pouvait avoir un autre sens... que, que le docteur et Joan Moncrieffe voulaient... enfin... projetaient de se débarrasser de Mrs Oldfield.

— Vous ne pensez pas la même chose, quant à vous ?

— Non... non, bien sûr que non...

Poirot la regarda d'un air inquisiteur.

— Mademoiselle Harrison, vous savez autre chose que vous me cachez.

Elle rougit et protesta violemment.

— Non ! Certainement pas. De quoi pourrait-il s'agir ?

— Je l'ignore. Mais il y a quelque chose.

Elle secoua la tête. Son expression anxieuse était revenue.

— ... Il se peut que le Home Office ordonne l'exhumation du corps de Mrs Oldfield ; annonça le détective.

— Oh non ! s'écria l'infirmière horrifiée. Quelle horrible chose !

— Pensez-vous que ce serait dommage ?

— Mais ce serait affreux ! Songez aux bavardages que cela susciterait. Ce serait terrible... Terrible pour ce pauvre docteur Oldfield.

— Ne croyez-vous pas que ce puisse être une bonne chose pour lui ?

— Que voulez-vous dire ?

— S'il est innocent... son innocence sera prouvée.

Il s'interrompit, suivant le cheminement de l'idée sur le visage de l'infirmière. Elle fronça les sourcils, puis son front se détendit. Elle soupira profondément, puis elle le regarda.

— Je n'avais pas pensé à cela, dit-elle avec simplicité. Evidemment, c'est la seule chose à faire.

A cet instant, une série de chocs ébranlèrent le plafond au-dessus de leur tête. L'infirmière se leva précipitamment.

— C'est Miss Bristow. Sa sieste et terminée. Je dois aller la voir avant qu'on lui monte son thé. Oui, monsieur Poirot, vous avez raison. Une autopsie mettra fin à cette affaire une fois pour toutes, et ce pauvre docteur Oldfield aura enfin la paix.

Elle serra la main du détective et sortit vivement de la pièce.

5

Hercule Poirot se rendit au bureau de poste d'où il téléphona à Londres.

Son interlocuteur se montra très animé à l'autre bout du fil.

— Mais, mon cher Poirot, est-il vraiment indispensable que vous alliez fouiner dans ces histoires ? Etes-vous *sûr* qu'il s'agisse d'une affaire pour nous ? Vous savez sur quoi sont basés ces bavardages de ville de province, en général ? Sur rien !

— Il s'agit ici, dit Poirot, d'un cas spécial.

— Eh bien, puisque vous le dites. Vous avez la déplorable habitude d'avoir si souvent raison... Mais si vous avez fait une trouvaille qui ne rime à rien, on ne sera pas très content de vous.

Poirot sourit.

— Non, murmura-t-il. Je le serai, cela suffira.

— Quoi ? Que dites-vous ? Je n'entends rien.

— Rien, rien du tout, répondit le détective qui raccrocha.

Sorti de la cabine téléphonique, il s'adressa à la receveuse de son ton le plus engageant :

— Pourriez-vous, par hasard, Madame, me dire où habite actuellement l'ancienne bonne du docteur Oldfield. Elle s'appelle Béatrice, je crois.

— Ah ! Béatrice King ? Elle a fait deux places, depuis. Maintenant, elle est chez Mrs Marley, de la banque.

Poirot remercia, acheta deux cartes postales, un carnet de timbres et un spécimen de poterie locale. Tout en procédant à ses achats, il s'arrangea pour amener la conversation sur la mort de Mrs Oldfield. L'expression furtive qui passa sur le visage de la receveuse ne lui échappa pas.

— Cela a été bien soudain, n'est-ce pas ? dit-elle. Vous avez pu entendre que ça fait jaser. Mais, est-ce pour cela que vous voulez voir Béatrice King ? Tout le monde a trouvé bizarre qu'elle quitte sa place si brusquement. Il y en a qui croient qu'elle sait quelque chose... et c'est peut-être vrai. Elle a laissé tomber quelques allusions de taille.

Béatrice King était une fille courtaude, à l'air sournois. Elle donnait une impression de solide stupidité, mais ses yeux étaient plus intelligents que ses façons l'auraient donné à attendre. Cependant, il paraisait impossible de pouvoir en tirer quelque chose.

— Je ne sais rien de rien, répétait-elle avec obstination... Je ne suis pas de celles qui passent leur temps à raconter ce qui se fait ici ou là... et je ne comprends pas de quelle conversation vous voulez parler. Je n'écoute pas aux portes, moi, et vous n'avez pas le droit de dire le contraire. Je ne sais rien.

— Avez-vous quelquefois entendu parler d'empoisonnement par arsenic ? demanda Poirot, patient.

Une lueur fugitive d'intérêt anima le visage maussade de la fille.

— Ah ! c'est *ça,* ce qu'il y avait dans la bouteille de remède ?

— Quelle bouteille ?

— Une de celles que Miss Moncrieffe préparait pour Madame. Même que l'infirmière était toute retournée, ça je peux le dire. Elle l'a sentie, puis elle y a goûté et elle a tout jeté dans l'évier et elle a rempli la bouteille avec de l'eau du robinet... ça ne faisait pas de différence. Et une fois que Miss Moncrieffe avait apporté un pot de thé pour Madame, l'infirmière l'a encore vidé et elle en a fait d'autre... l'eau n'avait pas bouilli, qu'elle a dit. J' te crois ! J'ai cru que c'était pour se rendre intéressante... Mais c'était peut-être autre chose.

Poirot acquiesça.

— Aimiez-vous Miss Moncrieffe, Béatrice ?

— Je m'en accommodais... un peu fière, peut-être. Bien sûr, j'ai toujours su que le docteur lui plaisait. Il n'y avait qu'à la voir la façon qu'elle le regardait.

Poirot la remercia et retourna à l'auberge où il donna certaines instructions à Georges.

6

Le docteur Alan Garcia, chimiste du Home Office, se frotta les mains et adressa un clin d'œil à Hercule Poirot.

— J'imagine que cela vous convient à vous l'homme qui a toujours raison ?

— Vous êtes trop aimable.

— Qu'est-ce qui vous a lancé là-dessus ? Des bavardages ?

— Comme vous dites.

Le lendemain, Market Loughborough mis au courant des résultats de l'autopsie, bruissait comme une ruche.

Poirot, arrivé à l'auberge depuis une heure environ, venait de terminer un confortable déjeuner lorsqu'on lui annonça qu'une dame désirait le voir.

C'était Miss Harrison, très pâle, décomposée.

— Est-ce vrai ? Est-ce bien vrai, monsieur Poirot ? demanda-t-elle aussitôt.

Il lui avança un siège.

— Oui. On a trouvé plus qu'assez d'arsenic pour provoquer la mort.

— Jamais je n'aurais cru, s'écria l'infirmière. Jamais je...

Puis elle fondit en larmes.

— Il fallait que la vérité se fasse jour, savez-vous, dit Poirot doucement.

— Va-t-on le pendre ? sanglota-t-elle.

— Il faut établir certains faits, tout d'abord : l'occasion... l'accès au poison... le véhicule par lequel celui-ci a été administré.

— Mais, monsieur Poirot, s'il n'y est pour-rien, absolument pour rien ?

— Dans ce cas, répondit le détective en haussant les épaules, on l'acquittera.

— J'aurais dû vous dire quelque chose... plus tôt, dit alors l'infirmière, lentement. Mais je n'ai pas pensé que cela pouvait avoir de l'importance... j'ai trouvé cela seulement bizarre.

— Je savais bien qu'il y avait quelque chose. Dites-le-moi, maintenant.

— Ce n'est rien, ou presque. Un jour, je me suis rendue au dispensaire pour je ne sais plus quelle raison et j'ai été surprise par ce que faisait Joan Moncrieffe.

— Oui ?

— Cela semble si bête... elle remplissait son poudrier... il est en émail rose.

— Oui ?

— Mais elle ne le remplissait pas avec de la poudre de riz. Elle y versait le contenu d'une des bouteilles de l'armoire aux poisons. Quand elle m'a vue, elle a sursauté, elle a refermé son poudrier, l'a glissé sans son sac et a remis très vite la bouteille dans l'armoire, de sorte que je n'ai pas pu voir ce que c'était. Evidemment, cela ne veut rien dire... mais à présent que je sais que Mrs Oldfield a été empoisonnée...

— Vous m'excuserez un instant, dit Poirot qui sortit de la pièce pour téléphoner au sergent Grey de la police du Berkshire.

Puis il revint dans la pièce où l'attendait l'infirmière. Il revoyait le visage d'une jeune fille aux cheveux cuivrés, entendait une voix claire déclarer : « Je ne suis pas d'accord. » *Joan Moncrieffe n'avait pas voulu d'une autopsie.* Elle en avait donné une excuse plausible, mais le fait demeurait. Une jeune fille compétente, résolue, aimant un homme lié à une femme malade et geignarde pouvant fort bien vivre des années encore.

Hercule Poirot poussa un soupir.

— A quoi pensez-vous ? demanda Miss Harrison.

— A ce que sont les choses !

— Pas une minute, je ne peux croire qu'il l'ait su !

— Non. Je suis sûr qu'il a tout ignoré.

A cet instant, la porte s'ouvrit et le sergent Grey pénétra dans la pièce. Il tenait à la main un objet enveloppé dans un mouchoir qu'il déplia avec soin. C'était un poudrier d'émail rose.

— C'est celui que j'ai vu, dit spontanément l'infirmière.

— Je l'ai trouvé poussé au fond du tiroir du bureau de Miss Moncrieffe, expliqua Grey. A l'intérieur d'une enveloppe à mouchoirs en papier. Pour autant que j'ai pu voir, il n'y a pas d'empreintes dessus, mais il vaut mieux être prudent.

Et c'est les doigts protégés par son mouchoir qu'il appuya sur le fermoir. Le couvercle se souleva.

— Ce n'est pas de la poudre de riz, ce truc-là !

Du bout du doigt, il prit un peu de la substance suspecte et la posa sur sa langue.

— ... Aucun goût spécial.

— L'arsenic blanc n'en a pas, dit Poirot.

— On va faire analyser ça. Vous pouvez jurer qu'il s'agit du même poudrier ? ajouta le sergent s'adressant à l'infirmière.

— Oui, j'en suis sûre. C'est cet objet que j'ai vu dans les mains de Miss Moncrieffe, au dispensaire, une semaine environ avant la mort de Mrs Oldfield.

Le sergent poussa un soupir, fit un signe de tête à Poirot. Le petit détective appuya sur la sonnette.

— Envoyez-moi mon valet de chambre, je vous prie, demanda-t-il au domestique alerté.

Georges, valet parfait, discret, parut et regarda son maître, l'air interrogateur.

— Vous avez identifié ce poudrier, Miss Harrison, dit Poirot, comme étant celui que vous avez vu en possession de Miss Moncrieffe il y a un an. Seriez-vous surprise d'apprendre que ce même poudrier a été mis en vente par Woolworth il n'y a que quelques semaines et que la fabrication de ce modèle ne remonte qu'à trois mois ?

L'infirmière étouffa une exclamation et fixa sur le détective le regard de ses yeux agrandis.

— Avez-vous déjà vu ce poudrier, Georges ? demanda Poirot.

Le valet de chambre fit un pas en avant.

— Oui, Monsieur. J'ai vu cette personne l'acheter chez Woolworth le vendredi 18. Conformément aux instructions de Monsieur, j'ai suivi cette dame dans tous ses déplacements. Le jour dont je viens de parler elle a emporté le poudrier chez elle. Puis, plus tard, dans la même journée, elle s'est rendue dans la maison où habite Miss Moncrieffe. Je m'y trouvais déjà et je l'ai vue entrer dans la chambre de Miss Moncrieffe et cacher cet objet dans le fond du tiroir du bureau. Je pouvais tout observer par la fente de la porte. Puis cette dame est ressortie. Je dois dire que personne ne songe à fermer ses portes, ici, et que la nuit tombait.

— Pouvez-vous expliquer ces faits, Miss Harrison ? demanda Poirot d'une voix dure et coupante. Je ne le pense pas. Ce poudrier ne contenait pas d'arsenic chez Woolworth mais il a été rempli dans la maison de Miss Bristow. *Cela a été très maladroit de votre part de conserver une provision d'arsenic,* ajouta-t-il d'un ton plus doux.

L'infirmière s'était caché le visage derrière ses mains.

— *C'est vrai... Oui, je l'ai tuée. Et tout cela pour rien... rien ! J'ai été folle !*

8

— Monsieur Poirot, je voudrais vous demander de m'excuser, dit Joan Moncrieffe. J'étais tellement mécontente contre vous. J'avais l'impression que vous ne faisiez que tout aggraver.

— Au début, en effet, reconnut Poirot avec un aimable sourire. C'est comme dans la légende de l'hydre de Lerne. Chaque fois qu'on lui coupait une tête, il lui en repoussait deux. Donc, pour commencer les rumeurs n'ont fait que croître et se multiplier. Mais, comme mon homonyme célèbre, je m'étais fixé pour tâche d'atteindre la tête maîtresse. Qui avait lancé ces bruits ? Il ne me fallut pas longtemps pour comprendre qu'il s'agissait de Miss Harrison. Elle semblait être une femme charmante, intelligente et sympathique. Mais elle fit une grossière erreur presque aussitôt. Elle me répéta une conversation qu'elle vous aurait entendu tenir, le docteur Oldfield et vous. Et cette conversation était psychologiquement invraisemblable. Si vous aviez tous deux décidé de tuer Mrs Oldfield, vous étiez beaucoup trop avisés et équilibrés pour tenir de tels propos dans une pièce à la porte restée ouverte, à portée d'oreille de n'importe qui. D'autre part, les paroles qui vous étaient attribuées ne correspondaient pas du tout à votre personnalité, c'étaient celles d'une femme plus âgée et très différente de caractère, celles-là mêmes qu'aurait imaginées Miss Harrison en semblable circonstance.

« Dès cet instant, j'ai compris. Miss Harrison était une femme encore jeune et séduisante... elle avait vécu très près du docteur Oldfield pendant près de trois ans. Il l'aimait beaucoup, lui savait gré de son tact et de sa gentillesse. Elle en était arrivée à croire que si Mrs Oldfield mourait, il lui demanderait probablement de l'épouser. Mais au lieu de cela, après la mort de Mrs Oldfield, elle apprend qu'il vous aime. Furieuse et jalouse, elle répand aussitôt le bruit qu'il a empoisonné sa femme.

« C'est ainsi que j'ai vu la situation, au début. Puis je me suis demandé si elle n'avait pas fait *plus* que faire courir un bruit. Certaines des choses qu'elle m'avait dites me parurent étranges. Elle m'apprit, par exemple, que la maladie de Mrs Oldfield était parfaitement imaginaire, qu'elle ne souffrait pas beaucoup. Mais le docteur Oldfield *lui-même* ne doutait pas de la réalité des souffrances de sa femme. Sa mort ne l'avait pas surpris. Il avait fait venir un confrère peu de temps avant le décès et celui-ci avait compris la gravité de son état. Par mesure d'expérience, j'ai parlé d'un projet d'exhumation... Cette idée terrifia Miss Harrison, tout d'abord. Puis, très vite, sa jalousie, sa haine prirent le dessus. Que l'on trouve de l'arsenic, personne ne la soupçonnera, *elle*. C'est le docteur Oldfield et vous-même qui souffririez.

« Restait l'espoir de voir l'infirmière montrer son jeu. S'il demeurait une chance à Joan Moncrieffe d'échapper, je me doutais bien que Miss Harrison emploierait toutes ses ressources pour la compromettre. Elle ne connaissait pas mon fidèle Georges, l'homme le plus discret qui soit, je lui dis de ne pas la perdre de vue. Et... tout finit bien. »

— Vous avez été merveilleux ! dit Joan Moncrieffe.

Le docteur Oldfield lui fit aussitôt écho.

— Oui, c'est exact. Jamais je ne pourrai vous remercier assez. Quel stupide aveugle ai-je été !

— Et vous, Mademoiselle, demanda Poirot avec intérêt, avez-vous aussi été aveugle ?

— J'étais affreusement inquiète, répondit lentement la jeune fille. La quantité d'arsenic dans l'armoire aux poisons ne correspondait pas à l'emploi qu'on en faisait...

— Joan ! s'écria le médecin... vous n'avez pas pensé que... ?

— Non, non, pas vous. J'ai cru que Mrs Oldfield s'en était emparée, d'une façon ou d'une autre, qu'elle en absorbait pour être malade et se faire plaindre et qu'elle en avait pris trop, par inadvertance. Mais j'ai eu peur que, en pratiquant l'autopsie, on trouve des traces d'arsenic et qu'on ne veuille pas retenir cette idée et qu'on saute à la conclusion que c'était vous le coupable. C'est pourquoi je n'ai jamais rien dit. J'ai même falsifié le livre des poisons ! Mais Miss Harrison est bien la dernière personne à laquelle j'aurais pensé.

— Moi aussi, avoua le médecin. Une créature si aimablement féminine... un visage de madone.

— Oui, approuva Poirot avec amertume. Sans doute aurait-elle fait une bonne épouse et une bonne mère... mais elle avait des émotions difficilement contrôlables.

Il poussa un soupir : « Quel dommage ! »

Puis il sourit à la vue du couple délivré, heureux, qui lui faisait face.

— ... Et moi, j'ai accompli le deuxième des travaux d'Hercule...

CHAPITRE III

LA BICHE AUX PIEDS D'AIRAIN

(THE ARCADIAN DEER)

1

Hercule Poirot tapait du pied, soufflait sur ses doigts pour tenter de les réchauffer. Des flocons de neige achevaient de fondre au bout de sa moustache.

On frappa à la porte et la femme de chambre parut. C'était une jeune paysanne solidement bâtie et elle regarda Hercule Poirot sans chercher à dissimuler sa curiosité. Sans doute n'avait-elle encore jamais vu quelqu'un qui lui ressemblât.

— Vous avez sonné ? demanda-t-elle.

— Effectivement. Voudriez-vous avoir la bonté d'allumer le feu ?

La petite bonne sortit pour revenir presque aussitôt avec du papier et du petit bois. Agenouillée devant la vaste cheminée, elle se mit en devoir de composer un bûcher.

Hercule Poirot continuait de taper du pied et de souffler sur ses doigts.

Il était très ennuyé. Sa voiture — une Messaro-Gratz très chère — ne s'était pas comportée avec la perfection mécanique qu'il attendait d'une automobile. Son chauffeur, un jeune homme qui jouissait d'un très beau salaire, n'était pas parvenu à remettre les choses au point. La voiture s'était obstinément refusée à avancer sur une petite route, deux kilomètres plus bas, sous la neige qui commençait à tomber. Et le détective, chaussé d'élégantes chaussures vernies, avait été contraint de faire à pied la distance qui les séparait de Hartly Dene, un village qui, bien que manifestant une certaine animation en été, était dans le coma en hiver. *Au Cygne Noir*, c'est presque avec effroi qu'on avait accueilli ce client inopiné. L'aubergiste avait déployé toute son éloquence pour faire comprendre à ce Monsieur que le garage du lieu serait en mesure de lui louer une voiture avec laquelle il pourrait poursuivre son voyage.

Hercule Poirot avait repoussé cette suggestion, incompatible avec son sens latin de l'économie. Louer une voiture ! Il en possédait déjà une, grande, luxueuse. Et c'est dans celle-ci et pas dans une autre qu'il poursuivrait son voyage. De toute façon, même si les réparations étaient faites avec rapidité, il ne repartirait pas, sous cette neige, avant le lendemain matin.

A contrecœur, l'aubergiste lui montra sa chambre, envoya une femme de chambre s'occuper du feu et conféra avec sa femme pour élucider le problème du repas.

Une heure plus tard, les pieds tendus à la flamme, Hercule Poirot songeait au dîner qu'il venait d'absorber. Le steak était dur et tendu de nerfs, les choux de Bruxelles énormes, insipides et anémiques, et les pommes de terre avaient un cœur de pierre, le fromage était dur et les biscuits mous. Quant au dessert mieux valait n'en rien dire. Cependant, Hercule Poirot regardait avec bonheur les flammes grésillantes et songeait que tout valait mieux que piétiner dans la neige, en chaussures vernies.

On frappa à la porte et la femme de chambre entra.

— S'il vous plaît, Monsieur, l'homme du garage est ici et il voudrait vous voir.

— Faites-le monter, répondit Hercule Poirot, aimable.

La fille gloussa et se retira. Sans doute, songea le détective avec indulgence, ferait-il le sujet des conversations de nombreux jours d'hiver à venir entre la petite bonne et ses amies.

On frappa de nouveau, de façon différente.

— Entrez ! invita Poirot.

Un jeune homme répondit à l'invitation.

Mal à l'aise, il demeura sur le seuil à tourner et retourner sa casquette entre ses doigts. Et, à le voir, Poirot se dit n'avoir jamais contemplé plus beau spécimen d'humanité. Un jeune Dieu grec dans toute sa grâce.

— C'est au sujet de la voiture, Monsieur, dit le jeune homme d'une voix un peu sourde. On a trouvé ce que c'était. Il y en a pour une heure de travail, à peu près.

— De quoi s'agit-il ?

Le jeune homme se lança avec animation dans une énumération de détails techniques. Poirot acquiesçait de la tête, mais il n'écoutait pas. La perfection dans la beauté physique était de ces choses que Poirot admirait absolument : « Oui, se dit-il, appréciateur, un Dieu grec, un jeune berger d'Arcadie. »

Et le jeune homme s'interrompit, brusquement.

Et Hercule Poirot fronça les sourcils. Sa première impression avait été toute d'esthétique...

— Je comprends, dit-il, oui, je comprends parfaitement. Mon chauffeur m'a déjà expliqué tout cela.

Il vit les joues du jeune homme s'empourprer, ses doigts se crisper sur la casquette.

— Oui, Monsieur, bredouilla-t-il. Je sais...

— Mais, dit le détective avec douceur, vous avez pensé préférable de venir me dire cela vous-même ?

— Euh... oui, Monsieur, j'ai pensé que cela valait mieux.

— C'est très consciencieux de votre part. Je vous remercie.

Il avait, à dessein, mis dans les derniers mots une note de congédiement, persuadé que l'autre n'en tiendrait pas compte. Il ne s'était pas trompé. Le jeune homme ne bougea pas. Il triturait toujours sa malheureuse casquette.

— Euh... excusez-moi, Monsieur, mais c'est bien vrai que vous êtes détective, que vous êtes M. Hercule Poirotte ?

— C'est exact.

Le jeune homme était devenu écarlate.

— J'ai lu quelque cnose sur vous dans le journal.

— Ah ! oui ?

Dans les yeux du garçon on pouvait lire la détresse. Hercule Poirot eut pitié de lui et lui vint en aide.

— Alors ? dit-il. Que voulez-vous me demander ?

Et les mots se précipitèrent.

— Peut-être, Monsieur, que vous allez penser que c'est effronté de ma part mais, vraiment, je ne pouvais pas laisser passer une chance comme ça. Avec ce que j'ai lu des choses extraordinaires que vous avez faites, je me suis dit, qu'après tout, je pourrais aussi bien vous poser la question. Il n'y a pas d'offense à demander, n'est-ce pas ?

Hercule Poirot secoua la tête.

— Vous désirez mon aide, d'une façon ou d'une autre

— Oui, répondit le jeune homme d'une voix sourde et embarrassée. C'est au sujet d'une jeune dame... Si... si vous pouviez me la retrouver...

— La retrouver ? Elle a disparu ?

— Oui, Monsieur.

— Peut-être pourrais-je vous aider, reconnut Poirot. Mais c'est à la police qu'il faut vous adresser en premier lieu. C'est son métier et elle a beaucoup plus de moyens à sa disposition que moi.

— Je ne peux pas, Monsieur. C'est très spécial, pour tout dire.

Hercule Poirot le regarda avec attention puis lui désigna une chaise.

— Eh bien, asseyez-vous. Comment vous appelez-vous ?

— Williamson, Monsieur. Ted Williamson.

— Asseyez-vous, Ted, et contez-moi votre histoire.

— Merci, Monsieur.

Le garçon s'assit avec précaution sur l'extrême bord d'une chaise et leva sur Poirot des yeux pitoyables.

— Parlez, engagea le détective d'une voix douce.

L'autre respira profondément.

— Eh bien, voilà, Monsieur. Je ne l'ai vue que cette fois-là. Je ne sais même pas son vrai nom mais ma lettre m'est revenue et puis tout...

— Commencez par le commencement. Ne vous hâtez pas. Racontez-moi seulement ce qui s'est passé.

— Oui, Monsieur. Voilà, vous connaissez peut-être Crasslawn, Monsieur, cette grande maison au bord du fleuve, de l'autre côté du pont ?

— Non, je ne connais pas.

— Elle appartient à sir George Sanderfield. Il s'en sert en été pour les week-ends et pour des réceptions... on s'y ennuie pas ! Il y a des actrices et tout ça. Bref, c'était en juin... et la radio était en panne et on m'a demandé d'aller voir pour la réparer. Alors j'y ai été. Sir George était sur le fleuve avec ses invités, c'était le jour de sortie de la cuisinière et le maître d'hôtel était dehors pour s'occuper des rafraîchissements. Dans la maison, il n'y avait que cette jeune fille... c'était la femme de chambre d'une des invitées. Elle m'a montré où était l'appareil et elle est restée avec moi pendant que je travaillais. On a parlé de ceci et de cela... elle m'a dit qu'elle s'appelait Nita et que sa maîtresse, c'était une danseuse russe.

— Quelle était sa nationalité ? anglaise ?

— Non, Monsieur, elle était française, je

crois. Elle avait un drôle d'accent. Mais elle parlait bien anglais. Elle... elle était aimable et, après un petit bout de temps, je lui ai demandé si elle pouvait sortir le soir et venir au cinéma. Elle m'a dit que sa maîtresse aurait besoin d'elle mais qu'elle pourrait s'arranger pour être libre au début de l'après-midi parce que les autres ne reviendraient pas avant la soirée. Bref, j'ai pris mon après-midi sans autorisation (et j'ai bien failli me faire renvoyer !) et on a été se promener au bord du fleuve.

Il s'interrompit. Un sourire léger flottait sur ses lèvres et ses yeux rêvaient.

— Et elle était jolie, n'est-ce pas ? demanda doucement Poirot.

— On ne pouvait pas imaginer mieux, Monsieur. Ses cheveux étaient comme de l'or, séparés de chaque côté comme des ailes... et sa façon de marcher si gaie, si légère. Je... eh bien, je l'ai aimée au premier coup d'œil, Monsieur. Je ne vais pas dire le contraire.

Poirot hocha la tête d'un air entendu.

— ... Puis, continua le jeune homme, elle m'a dit que sa maîtresse comptait revenir dans quinze jours, et on a décidé de se revoir. (Il s'interrompit.) Mais elle n'est pas venue. Je l'ai attendue à l'endroit qu'on avait fixé. Rien. Alors, j'ai pris sur moi d'aller jusqu'à la maison et de la demander. La dame russe était bien là et sa femme de chambre aussi, on m'a dit. On l'a appelée. Mais quand elle est descendue, ce n'était pas Nita ! Une fille noiraude et effrontée avec ça ! « Vous voulez me voir ? » elle m'a demandé en se tortillant. Elle avait dû se rendre compte que j'étais surpris. Je lui ai dit qu'il ne s'agissait pas d'elle mais d'une autre femme de chambre de la dame russe. Alors, elle s'est mise à rire. L'autre avait été renvoyée subitement. « Renvoyée ? » J'ai répété. « Mais pourquoi ? » Elle a haussé les épaules, elle a écarté les mains. « Je n'en sais rien, moi, je n'étais pas là. » Eh bien, Monsieur, ça m'a fait un coup. Sur le moment, je n'ai rien trouvé à dire. Mais après j'ai pris mon courage et je suis retourné voir cette Marie, la noiraude, et je lui ai demandé l'adresse de Nita. Je ne lui ai pas dit que je ne savais pas son nom de famille. Je lui ai promis de lui donner quelque chose si elle me le procurait. Ce n'était pas du genre à rendre un service pour rien. Enfin, elle m'a eu l'adresse, à Londres. J'ai écrit à Nita. Mais la lettre m'est revenue avec écrit dessus, par la poste, en travers de l'enveloppe *n'habite plus à cette adresse.*

Ted Williamson se tut et posa dans les yeux de Poirot le regard droit de ses yeux bleu sombre.

— ... Vous voyez ce que c'est, Monsieur ? Ce n'est pas une affaire pour la police. Mais je veux la retrouver. Et je ne sais pas comment m'y prendre. Si... si vous pouvez me la retrouver — le sang monta à ses joues. — J'ai... j'ai mis un peu d'argent de côté. Je peux dépenser cinq livres... même dix.

— Ne discutons pas finances, pour le moment, dit gentiment Poirot. Réfléchissons tout d'abord : cette jeune fille, Nita, elle connaît votre nom et sait où vous travaillez ?

— Oh ! oui, Monsieur.

— Elle aurait pu communiquer avec vous si elle l'avait voulu ?

Cette fois, Ted fut plus lent à répondre.

— Oui, Monsieur.

— Alors, vous ne pensez pas que... peut-être...

Le jeune homme l'interrompit.

— Vous voulez dire, Monsieur, que si je l'aime, elle ne m'aime pas ? C'est peut-être vrai, en un sens... mais je lui plaisais... je lui *plais*... ce n'était pas seulement histoire de s'amuser un peu, pour elle... et, Monsieur, j'ai bien réfléchi, il doit y avoir une raison derrière tout ça. Elle était mêlée à des gens bizarres. Elle peut être dans l'embarras, si vous voyez ce que je veux dire.

— Voulez-vous dire qu'il se peut qu'elle attende un enfant ? Le vôtre ?

— Pas le mien, Monsieur ! répondit Ted, très rouge. Il n'y a rien eu de mal entre nous.

Poirot le regarda, pensif.

— Et, malgré tout, si c'est le cas... vous persistez à vouloir la trouver ?

— Oui ! Ce n'est pas compliqué. Je veux l'épouser si elle veut de moi. Et le pétrin dans lequel elle se trouve peut-être n'y changera rien ! Voulez-vous seulement essayer de la chercher et de me la retrouver, Monsieur ?

Hercule Poirot sourit.

— Des cheveux comme des ailes d'or, murmura-t-il pour lui-même. Oui, il me semble que c'est là le troisième des travaux d'Hercule... si je me souviens bien, cela se passa en Arcadie...

2

Les sourcils froncés, Hercule Poirot étudiait la feuille de papier sur laquelle Ted Williamson avait, non sans peine, inscrit un nom et une adresse.

Miss Valetta, 17 Upper Renfrew Lane, n° 15.

Apprendrait-il quelque chose à cette adresse ? Il en doutait. Mais Ted n'avait pu lui donner d'autre indication.

Upper Renfrew Lane était une rue sale mais respectable. Une grosse femme aux yeux chassieux répondit au coup de sonnette de Poirot, au n° 17.

— Miss Valetta, je vous prie.

— L'est partie. Longtemps de ça, déjà.

Poirot avança le pied juste au moment où la porte allait se refermer.

— Pourriez-vous, s'il vous plaît, me donner son adresse ?

— En a pas laissé.

— Quand est-elle partie ?

— L'été passé.

— Pourriez-vous me dire *quand* exactement ?

Au même instant, dans la paume du détective, deux pièces de monnaie se heurtèrent, rendant un son argentin des plus agréables.

La femme aux yeux chassieux changea miraculeusement d'attitude.

— Ce n'est pas que je ne voudrais pas vous aider, Monsieur, dit-elle avec une grâce exquise. Attendez un peu que je rappelle mes idées. Août, non avant ça, en juillet. Oui, ça devait être juillet, vers la première semaine. Elle est partie à toute allure. Retournée en Italie, je crois.

— Ah ! elle était italienne ?

— Oui, Monsieur.

— Et, à cette époque, elle était femme de chambre d'une danseuse russe, n'est-ce pas ?

— C'est ça même. Mme Semoulina ou quelque chose comme ça. Elle dansait dans les ballets de Thespis. C'était une des étoiles.

— Savez-vous pourquoi Miss Valetta quitta sa place ?

La femme hésita avant de répondre.

— Non, je ne sais pas.

— On l'a renvoyée, n'est-ce pas ?

— Eh bien... je crois qu'on a fait un peu de nettoyage ! Mais vous trompez pas, Miss Valetta n'a rien perdu. Elle n'était pas de celles qui se laissent faire. Mais elle avait l'air d'en avoir gros sur le cœur. Elle avait un caractère ! Je ne vous dis que ça... une vraie Italienne... des yeux noirs qui lançaient des étincelles et qui vous regardaient comme si elle voulait vous planter un couteau dans le ventre. Je ne me serais pas risquée à la contrarier quand elle était de mauvaise humeur !

— Et vous êtes certaine d'ignorer son adresse actuelle ?

Les deux demi-couronnes firent entendre de nouveau leur petite chanson engageante.

La réponse eut un véritable accent de vérité.

— Oh ! je voudrais bien, Monsieur. Je ne serais que trop heureuse de vous obliger. Mais... elle est partie comme ça, d'un seul coup, et voilà !

— Oui, et voilà ! répéta Poirot songeur.

3

Ambrose Vandel abandonna la description enthousiaste qu'il faisait du décor qu'il composait pour un ballet à venir et, sans se faire prier, répondit à la question posée.

— Sanderfield ? George Sanderfield ? Un sale type. Il roule sur l'or, mais il paraît que c'est une crapule. C'est un faux jeton ! Une liaison avec une danseuse ? Mais bien sûr, mon cher... il en a eu une avec *Katrina.* Katrina Samoushenka. Vous avez dû la voir ? Oh ! mon cher, quelle fille délicieuse ! Quel métier ! *Le Cygne de Tuolela,* vous avez sûrement vu ça ! Le décor était de moi. Et cet autre machin de Debussy ou de Mannine, *La Biche au Bois ?* Elle dansait avec Michael Novgin. Lui aussi, c'est une merveille, n'est-ce pas ?

— Et elle était une amie de George Sanderfield ?

— Oui. Elle avait l'habitude de passer les week-ends dans sa maison de campagne. Il y donnait des réceptions sensationnelles hein ?

— Vous serait-il possible, mon cher, de me présenter à Mlle Samoushenka ?

— Mais elle n'est plus ici ! Elle est partie brusquement pour Paris ou quelque part ailleurs. On a dit que c'était une espionne bolchevique... non que je le croie moi-même ! Mais les gens adorent dire des trucs comme ça. Katrina a toujours prétendu être une Russe blanche — son père était prince ou grand-duc, bien entendu. Ça fait tellement mieux. Je vous disais que pour vous faire entièrement à *l'esprit* de Bethsabée, il faut vous pénétrer de la tradition sémitique. Pour l'exprimer, je...

Et il poursuivit sur ce thème avec bonheur.

4

L'entrevue qu'Hercule Poirot s'arrangea pour avoir avec sir George Sanderfield ne débuta pas sous d'excellents auspices.

Le « faux jeton », selon l'expression d'Ambrose Vandel, semblait assez mal à l'aise. Sir George était petit et trapu. Il avait des cheveux drus et noirs et un pli de graisse sur la nuque.

— Alors, monsieur Poirot, que puis-je faire pour vous ? demanda-t-il. Nous... ne nous sommes jamais rencontrés si je ne me trompe ?

— Non, jamais encore.

— De quoi s'agit-il ? Je suis assez curieux de le savoir, je l'avoue...

— Oh ! c'est très simple... j'aimerais recevoir une petite information.

— Ah ! vous voulez un petit tuyau ? dit l'autre avec un ricanement gêné. Je ne savais pas que vous vous intéressiez à la finance.

— Il n'est pas question d'affaires mais d'une certaine dame.

— Ah ! d'une femme ! Sir George, détendu, s'appuya au dossier de sa chaise.

— Vous connaissiez, je crois, Mlle Katrina Samoushenka ?

Sanderfield rit.

— Oui. Une créature délicieuse. Bien dommage qu'elle ait quitté Londres.

— Pourquoi l'a-t-elle quitté ?

— Ça, mon cher, je l'ignore. Des mots avec la direction de son théâtre, il me semble. Elle est de caractère très emporté, vous savez. Une véritable Russe. Je suis désolé de ne pouvoir vous aider, mais je n'ai pas la moindre idée de l'endroit où elle se trouve actuellement. Je ne suis pas resté en relation avec elle.

Et déjà il se levait. L'entretien, à son sens, avait assez duré.

— Mais je ne recherche pas Mlle Samoushenka, dit Poirot sans bouger.

— Mais alors... ?

— Non, il est question de sa femme de chambre.

— *Sa femme de chambre ?* répéta Sanderfield visiblement très surpris.

— Vous vous souvenez peut-être de cette jeune personne ?

Sanderfield avait, de nouveau, perdu toute son assurance.

— Seigneur, et pourquoi donc ? répondit-il sans conviction. Bien sûr, je sais qu'elle en avait une... une fille déplaisante, il me semble. Indiscrète, fouillant partout. A votre place, je ne croirais pas un mot de ce qu'elle raconte. Elle est de ce genre de filles qui naissent le mensonge à la bouche.

— Alors, vous vous souvenez quand même d'elle ? murmura Poirot.

— Ce n'est qu'une impression, corrigea vivement Sanderfield. Je ne sais même pas son nom. Attendez un peu... Marie quelque chose... non, désolé, j'ai oublié.

— Le théâtre de Thespis m'a déjà donné le nom de Marie Hellin... ainsi que son adresse. Mais je parle de la femme de chambre qui était avec Mlle Samoushenka *avant* Marie Hellin, de Nita Valetta.

— Je ne me souviens pas du tout de celle-là. La seule dont je me rappelle est cette Marie. Une petite noiraude avec un sale œil.

— La jeune fille dont je parle était chez vous, à Grasslawn en juin dernier.

— Eh bien, tout ce que je peux dire, c'est que je l'ai oubliée. Je crois bien que Katrina n'avait pas de femme de chambre avec elle à l'époque. Vous devez faire une erreur.

Hercule Poirot hocha la tête. Il ne faisait pas erreur, il en était sûr.

5

Marie Hellin lança un rapide coup d'œil à Hercule Poirot, puis elle détourna vivement les yeux qu'elle avait petits mais intelligents.

— Mais je me souviens parfaitement, Monsieur, dit-elle d'un ton neutre. Mme Samoushenka m'a engagée la dernière semaine de juin. La femme de chambre précédente avait dû partir très vite.

— Avez-vous entendu dire pourquoi cette jeune fille est partie ?

— Non... elle était peut-être malade. Madame ne m'a rien dit.

— Votre maîtresse était-elle facile à satisfaire ?

La jeune fille haussa les épaules.

— Elle avait un drôle de caractère. Elle pleurait ou elle riait, tour à tour. Quelquefois, elle était tellement découragée qu'elle ne voulait ni manger ni parler. Ou bien elle était d'une folle gaieté. Les danseurs sont comme ça. C'est une question de tempérament.

— Et sir George ?

La jeune fille s'anima aussitôt et son regard brilla d'une lueur mauvaise.

— Ah ! sir George Sanderfield ? Vous voudriez être renseigné sur son compte ? Le reste, ce n'était qu'une excuse, hein ? Ah ! sur lui, je pourrais vous en dire ! Tenez, quand...

— Non, non, c'est inutile, interrompit Poirot.

Elle le regarda, les yeux écarquillés, la bouche ouverte, visiblement furieuse et déçue.

6

— J'ai toujours dit que vous saviez tout, Alexis Pavlovitch, murmura Hercule Poirot avec son intonation la plus flatteuse.

Il songeait que le troisième des travaux d'Hercule avait exigé plus de déplacements et d'entrevues qu'il ne l'aurait imaginé. La disparition d'une simple petite femme de chambre se révélait un problème très ardu. Toutes les pistes suivies s'interrompaient brusquement pour ne mener nulle part.

La dernière l'avait conduit, ce soir-là, à Paris, *Au Samovar,* un restaurant dont le propriétaire, le comte Alexis Pavlovitch, se vantait de savoir tout ce qui concernait le monde artistique.

Pour l'instant, il hochait la tête, satisfait.

— Oui, mon cher, c'est bien vrai, je suis au courant. Ah ! cette petite Samoushenka, cette exquise danseuse, vous voulez savoir où elle est partie ? Quelle merveille ! (Il se baisa le bout des doigts.) Quel feu, quel abandon ! Ah ! elle aurait été loin, ce serait devenu la première ballerine de son époque... et puis voilà que brusquement, elle part au bout du monde... et aussitôt... ah ! oui, aussitôt, on l'oublie.

— Où est-elle ?

— En Suisse. A Vagray-les-Alpes. Le lieu de rendez-vous de ceux qu'une petite toux sèche mine et rend minces, si minces. Elle va mourir, oh oui ! Elle est fataliste de nature. Elle mourra sûrement.

Poirot toussotta. L'atmosphère tournait à la tragédie et il lui fallait des renseignements.

— Vous souviendriez-vous, par hasard, d'une de ses femmes de chambre ? Une certaine Nita Valetta ?

— Valetta ? Valetta ? Je me souviens avoir vu une femme de chambre avec Katrina, sur le quai d'une gare. Une Italienne de Pise, n'est-ce pas ? Oui, j'en suis sûr, à présent, elle était italienne et venait de Pise.

— Dans ce cas, grogna Hercule Poirot, il me faut aller à Pise.

7

Hercule Poirot, dans le Campo Santo de Pise, regardait une tombe.

Ainsi, c'était là que prenait fin son enquête... ici, auprès d'un humble monticule de terre, audessous duquel reposait la joyeuse créature qui avait fait vibrer le cœur et l'imagination d'un simple mécanicien anglais.

N'était-ce pas la meilleure des conclusions pour cette romance aussi étrange que soudaine ? A présent, la jeune fille vivrait à jamais dans le souvenir du jeune homme telle qu'il l'avait vue au cours de ces brèves heures enchantées d'un après-midi de juin. Cela éviterait à jamais le heurt de nationalités opposées, de milieux différents, les désillusions.

Hercule Poirot hocha la tête, attristé. Il réentendait la conversation qu'il avait eue avec la famille Valetta. La mère, aux traits de paysanne, le père enfoncé dans sa douleur, la sœur à la peau sombre, aux lèvres dures.

— Ça s'est passé si vite, signore, si vite. C'était des années qu'elle avait des douleurs... le docteur ne nous a pas donné à choisir... il a dit qu'il fallait l'opérer immédiatement de l'appendicite. Il l'a emmenée à l'hôpital et c'est là... elle est morte avant de se réveiller.

La mère renifla.

— Bianca était si intelligente, murmura-t-elle. C'est terrible qu'elle soit morte si jeune...

« Elle est morte jeune », répéta Poirot, tout seul.

C'est ce message qu'il lui faudrait porter au jeune homme qui avait demandé son aide avec une telle confiance.

Elle n'est pas pour vous, mon ami. Elle est morte jeune.

Son enquête était finie. La Tour Penchée se découpait sur le ciel, les premières fleurs de printemps montraient leur petite tête pâle, prometteuses de vie et de joie à venir.

Etait-ce ce souffle du printemps qui le faisait accepter avec un tel esprit de rébellion ce verdict final ? Ou était-ce quelque chose d'autre ? Le fantôme d'un souvenir... un mot... une phrase ? Tout cela ne se terminait-il pas trop nettement avec une précision trop évidente ?

Le détective poussa un profond soupir. Il ne pouvait pas garder de doute. Et, pour cela, il lui fallait entreprendre encore un voyage et se rendre à Vagray-les-Alpes.

8

Oui, songea-t-il, c'était vraiment la fin du monde. Cette couche de neige, ces huttes éparpillées dans chacune desquelles un être humain immobile luttait contre une mort insidieuse.

Quand il vit Katrina Samoushenka, ses joues creusées, ses pommettes rougies par la fièvre et ses belles mains émaciées posées sur la couverture, il se souvint brusquement. Il ne s'était pas rappelé son nom mais il l'avait vue danser. Il avait été emporté, fasciné par cet art suprême qui vous fait oublier qu'il s'agit d'art.

Il revoyait Michael Novgin, le chasseur, sautant, tourbillonnant, dans cette forêt fantastique née de l'imagination d'Ambrose Vandel. Il revoyait aussi la ravissante biche, éternellement poursuivie, éternellement désirable... Une créature douée, toute de beauté, des petites cornes sur la tête et des pieds de bronze tourbillonnants. Et la chute finale après le coup, la blessure... et Michael Novgin, bouleversé, le cadavre de la petite biche entre les bras.

Katrina Samoushenka regardait le détective avec une certaine curiosité.

— Je ne vous ai encore jamais vu, n'est-ce pas ? Que me voulez-vous ?

Hercule Poirot s'inclina.

— Tout d'abord, Madame, je voudrais vous remercier pour une soirée de pure beauté...

Elle eut un pâle sourire.

« ... Mais je suis venu aussi pour affaire. Il y a un certain temps déjà que je recherche l'une de vos femmes de chambre... Elle s'appelait Nita.

— Nita ?

Elle le regardait, les yeux agrandis.

— ... Que savez-vous de Nita ?

— Je vais vous le dire.

Et il lui raconta l'histoire de sa panne de voiture, lui décrivit Ted Williamson, son amour et son chagrin. Elle écouta, attentive.

— C'est touchant, dit-elle quand il eut terminé.

Oui, c'est touchant...

— En effet, approuva Hercule Poirot. Une légende d'Arcadie, n'est-ce pas ? Que pouvez-vous me dire, Madame, de cette jeune fille ?

Katrina Samoushenka soupira.

— J'avais une femme de chambre... Juanita. Elle était jolie, oui... gaie, le cœur léger. Il lui arriva ce qui arrive à ceux que les dieux protègent. Elle mourut jeune.

Poirot lui-même s'était dit cela et, cependant, il persista.

— Elle est morte ?

— Oui.

Hercule Poirot garda le silence une minute. Puis :

— Il est une chose que je ne comprends pas très bien. J'ai interrogé sir George Sanderfield au sujet de votre femme de chambre et il m'a paru un peu effaré. Pourquoi cela ?

Une légère expression de dégoût passa sur le visage de la danseuse.

— Il a cru que vous parliez de Marie... la fille que j'ai engagée après le départ de Juanita. Elle a cherché à le faire chanter, il me semble, à propos d'un détail qu'elle avait appris le concernant. C'était une fille odieuse... indiscrète, lisant les lettres, ouvrant les tiroirs.

— Ah ! cela explique tout, murmura-t-il... Le nom de famille de Juanita était Valetta et elle est morte des suites d'une opération de l'appendicite, à Pise. C'est bien cela ?

Il remarqua l'hésitation imperceptible de la danseuse avant qu'elle incline la tête.

— Oui, c'est exact...

— Et cependant, continua Poirot songeur, ses parents l'appellent Bianca et non pas Juanita.

— Bianca, Juanita... qu'importe ? Sans doute

avait-elle trouvé Juanita plus romantique que son véritable nom.

— C'est votre explication. Quant à moi, j'en ai une autre.

— Laquelle ?

Poirot se pencha en avant.

— La jeune fille que vit Ted Williamson avait des cheveux qu'il m'a décrits comme semblables à des ailes d'or.

Il avança la main, toucha du bout des doigts, la masse dorée des cheveux de Katrina...

« ... Des ailes d'or, des cornes d'or ? Ange ou démon ? C'est selon. A moins qu'il ne s'agisse que des cornes dorées de la biche blessée ?

— *La biche blessée...* murmura Katrina d'une voix désespérée.

— La description de Ted Williamson n'avait cessé de me préoccuper... Elle évoquait un souvenir imprécis, insaisissable... Et ce souvenir, *c'était* vous bondissant sur vos pieds d'airain étincelant, à travers la forêt. Dois-je vous dire ma pensée, Mademoiselle ? Pendant une semaine, vous n'avez pas eu de femme de chambre. Bianca Valetta était retournée en Italie, vous ne l'aviez pas encore remplacée et vous vous êtes rendue seule à Grasslawn. Déjà vous ressentiez les premiers symptômes de la maladie qui vous a frappée depuis et vous étiez restée à la maison pendant que les autres excursionnaient. On a sonné à la porte et vous êtes allée ouvrir... *Dois-je vous dire ce que vous avez vu?* Vous avez vu un jeune homme aussi simple qu'un enfant et aussi beau qu'un Dieu ! Et pour lui, vous avez inventé une jeune fille, non pas *Juanita,* mais *Incognita,* et... pendant quelques heures, vous vous êtes promenée avec lui en Arcadie...

Le silence qui s'établit dura longtemps. Puis Katrina parla d'une voix basse et sourde.

— Il est une chose au moins pour laquelle je vous ai dit la vérité. Je vous ai donné la véritable conclusion de l'histoire. Nita mourra jeune.

— Ah, non ! (Hercule Poirot se transforma brusquement. Il frappa la table du poing.) Ça c'est absolument inutile ! *Vous n'avez aucun besoin de mourir !* Vous pouvez lutter pour vivre aussi bien qu'une autre.

Elle secoua la tête, désabusée.

— Qu'est-ce que la vie pour moi ?

— Pas une vie de théâtre, bien entendu. Mais songez un peu à une autre vie. Dites-moi, honnêtement, Mademoiselle, votre père était-il réellement prince, grand-duc ou même général ?

Elle rit soudainement.

— Il conduisait un camion à Leningrad.

— Parfait ! Et pourquoi ne pourriez-vous pas devenir la femme d'un mécanicien de garage de campagne ? Avoir des enfants beaux comme des dieux et qui, peut-être, danseront comme vous avez dansé ?

Katrina retint sa respiration.

— Mais c'est une idée invraisemblable.

— Aucune importance, répondit Hercule Poirot, très sûr de soi. Je suis sûr qu'elle se réalisera !

CHAPITRE IV

LE SANGLIER D'ERYMANTHE

(THE ERYMANTHIAN BOAR)

1

L'accomplissement du troisième des travaux d'Hercule l'ayant mené jusqu'en Suisse, Hercule Poirot décida de profiter de l'occasion et d'aller voir certains sites qui lui étaient encore inconnus.

Il passa deux jours à Chamonix, paressa tout autant à Montreux puis se rendit à Andermatt pour avoir entendu beaucoup de ses amis vanter l'endroit... qui lui déplut parce que beaucoup trop encaissé à son goût.

« Impossible de rester ici, se dit-il. On ne peut pas respirer. » A cet instant, il aperçut le funiculaire et se décida : « Je monte. »

Le funiculaire, il le découvrit, montait tout d'abord aux Avines, puis à Cauronchet, et enfin aux Roches-Neiges, à une altitude de plus de trois mille mètres.

Poirot ne se proposait pas de monter aussi haut. Les Avines feraient parfaitement son affaire.

Mais il comptait sans le hasard qui jouait une si grande part dans sa vie. Le funiculaire était déjà en route lorsque le contrôleur s'approcha du détective et lui demanda son billet. Il l'examina, le perfora au moyen d'un outil terrifiant, et avec une brève inclinaison du buste, le rendit à son propriétaire. En même temps que le billet, Poirot sentit qu'on lui glissait une feuille de papier dans la main.

Le détective leva un sourcil surpris. Puis, sans ostentation, il défroissa le feuillet de papier. Il contenait un message hâtivement tracé au crayon.

« Impossible (lut-il) de ne pas reconnaître ces moustaches ! Mon cher collègue, je vous salue. Si vous le voulez, vous pouvez m'être d'une aide précieuse. Sans doute avez-vous lu les articles consacrés à l'affaire Salley ? Le tueur Marrascaud a, croit-on, donné rendez-vous à certains membres de la bande aux Roches-Neiges justement ! Bien sûr, tout ceci peut n'être qu'une blague, mais il y a peu de chance. Nous sommes bien renseignés. Alors, cher ami, gardez les yeux ouverts. Entrez en contact avec l'inspecteur Drouet qui est sur place. C'est un garçon bien, mais il ne saurait prétendre au brillant d'Hercule Poirot. Il faut prendre Marrascaud et le prendre vivant. Ce n'est pas un homme mais un sanglier furieux. C'est l'un des tueurs les plus dangereux en vie aujourd'hui. Je n'ai pas voulu courir le risque de vous parler à Andermatt. On aurait pu nous voir et vous serez plus libre d'agir si l'on vous prend pour un simple touriste. Bonne chasse ! Votre vieil ami Lementeuil. »

Songeur, Hercule Poirot se caressa les moustaches. Effectivement, il n'y avait que lui pour en avoir de semblables. Mais que voulait dire tout cela ? Il avait, dans les journaux, lu les détails de l'affaire Salley. L'assassinat crapuleux d'un bookmaker. On connaissait l'identité du meurtrier. Marrascaud faisait partie d'une bande d'habitués de champs de courses. On l'avait déjà soupçonné d'autres crimes. Mais, à présent, sa culpabilité était parfaitement prouvée. Il avait pris la fuite et, dans toute l'Europe, la police le recherchait.

Ainsi, il aurait, paraît-il, rendez-vous aux Roches-Neiges ?

Hercule Poirot hocha la tête, très surpris. Les Roches-Neiges étaient situées à très haute altitude. Il y avait bien un hôtel mais il se trouvait sur une étroite avancée rocheuse dominant la vallée et il ne pouvait communiquer avec le reste du monde qu'au moyen du funiculaire. Il ouvrait en juin mais on y voyait rarement des clients avant juillet ou août. L'endroit était mal pourvu d'entrées et de sorties ; qu'un homme se réfugiât à cet endroit et il était pris au piège. Cela paraissait réellement extraordinaire comme lieu de rendez-vous pour une bande de criminels.

Et, cependant, Lementeuil devait avoir des raisons de garantir la valeur de son renseignement. Hercule Poirot respectait le commissaire de la police suisse. Il le savait intelligent, digne de confiance.

Le petit détective soupira. Donner la chasse à un assassin sanguinaire n'entrait pas dans ses conceptions de vacances agréables. Réfléchir, installé dans un fauteuil confortable, oui, mais poursuivre un sanglier furieux dans une montagne...

Un *sanglier furieux* ? C'était là le terme employé par Lementeuil. Quelle curieuse coïncidence...

Le quatrième des travaux d'Hercule, le sanglier d'Erymanthe !

Discrètement, il se mit en devoir d'examiner ses compagnons de voyage.

Le siège, face à lui, était occupé par un touriste américain. Tout en lui proclamait le provincial d'outre-Atlantique à son premier voyage en Europe : sa valise, la coupe de ses vêtements, le guide qu'il feuilletait, sa façon de tout regarder, et même son expression de naïve bonhomie. Une minute encore et il engagerait la conversation, c'était visible.

De l'autre côté de l'allée, un homme à l'aspect distingué, aux cheveux gris et au nez busqué lisait un livre allemand. Ses doigts forts et souples étaient ceux d'un musicien ou d'un chirurgien.

Un peu plus loin, trois individus du même type s'étaient groupés. Leurs jambes torses moins que leur aspect tout entier disaient leur contact avec la gent chevaline. Ils jouaient aux cartes. Peut-être offriraient-ils à un étranger de se joindre à eux ? Ils le laisseraient gagner, tout d'abord, puis la chance tournerait...

Rien d'extraordinaire en eux, sauf l'endroit où ils se trouvaient. On aurait pu les voir dans n'importe quel véhicule menant à un champ de courses. Mais dans un funiculaire presque vide, non !

Et puis il y avait aussi une femme, grande et brune. Elle avait un très beau visage dessiné pour refléter toutes les émotions, mais qui demeurait figé, étrangement inexpressif. Ignorant ses compagnons de voyage, elle regardait fixement la vallée, en bas.

Comme Poirot l'avait prévu, l'Américain se mit à parler. Il s'appelait Schwartz. C'était son premier voyage en Europe. Le paysage était, dit-il, somptueux. Le château de Chillon l'avait beaucoup impressionné. Mais Paris l'avait déçu... Il avait été au Folies-Bergère, au Louvre et à Notre-Dame... Les Parisiens ne connaissaient rien au jazz. Les Champs-Elysées n'étaient pas mal et les fontaines lui avaient bien plu, surtout quand les jets d'eau fonctionnaient...

Personne ne descendit aux Avines, ni à Cauronchet. Tout le monde se rendait aux Roches-Neiges, c'était évident.

Mr Schwartz donna ses raisons : il avait toujours rêvé d'être un jour dans les neiges éternelles... Il paraît qu'on ne peut pas faire cuire un œuf convenablement à partir d'une certaine hauteur...

Dans l'innocence de son cœur, il entreprit de faire participer à la conversation l'homme aux cheveux gris. Mais celui-ci se contenta de lui lancer un coup d'œil froid, par-dessus la monture de son pince-nez, avant de poursuivre sa lecture.

Puis, Mr Schwartz offrit à la femme brune de changer de place avec lui. Elle y aurait une vue plus belle.

Peut-être ne comprenait-elle pas l'anglais. Mais elle secoua la tête et se serra frileusement dans son manteau de fourrure.

— Ça semble drôle de voir une femme voyager seule, sans personne pour s'occuper d'elle, confia Schwartz à Poirot. « Une femme a besoin de beaucoup d'attentions quand elle voyage. »

Se souvenant de certaines Américaines qu'il avait rencontrées sur le continent, Poirot acquiesça.

Mr Schwartz soupira. Le monde lui semblait inamical et pourtant — ses yeux bruns le proclamaient — un petit peu d'amabilité ne fait pas de mal.

2

Etre reçu dans un endroit aussi retiré du monde par un hôtelier en habit et chaussures vernies semblait pour le moins ridicule. Grand, assez séduisant, le geste noble, il se confondait cependant en excuses.

Aussi tôt dans la saison..., la circulation d'eau chaude ne fonctionnait pas... évidemment, il ferait de son mieux..., mais il ne disposait pas de tout son personnel... Vraiment, il ne s'attendait pas à recevoir autant de clients.

Tout cela était dit avec une urbanité toute professionnelle, mais cependant Poirot crut, derrière cette façade polie, saisir un éclair d'anxiété. Cet homme était mal à l'aise. Quelque chose l'inquiétait.

Le déjeuner fut servi dans une longue pièce surplombant la vallée de très haut. Le seul serveur, Gustave, était vif et adroit. Les trois hommes de cheval s'étaient groupés. Ils parlaient français, riaient fort

La femme au beau visage occupait, seule, une table d'angle. Elle ne regardait personne.

Un peu plus tard, le gérant de l'hôtel rejoignit Poirot au salon et lui fit des confidences.

Personne ne venait d'habitude avant la fin du mois de juin. Sauf cette dame que monsieur avait peut-être remarquée. Chaque année, elle se montrait à la même époque. Trois ans auparavant, son mari s'était tué dans une ascension. C'était bien triste. Elle lui avait été très attachée... Elle venait en pèlerinage avant que la saison ait commencé, pour être tranquille. Quant au monsieur d'un certain âge, c'était un savant viennois célèbre, le docteur Karl Lutz. Il était venu pour trouver le calme et le repos.

– C'est pacifique, oui, reconnut Hercule Poirot. Et ces messieurs, ici ? demanda-t-il en indiquant le groupe vulgaire. Pensez-vous qu'eux aussi cherchent à se reposer ?

Le gérant haussa les épaules, visiblement gêné.

— Ces touristes, il leur faut toujours du neuf. Rien que l'altitude... cela offre une sensation nouvelle.

Sensation qui n'avait rien d'agréable selon Poirot dont le cœur battait trop vite à son gré.

Schwartz entra dans la pièce et son visage

s'éclaira à la vue du détective qu'il rejoignit aussitôt.

— J'ai parlé à ce savant. Il parle anglais d'une drôle de façon. C'est un Juif... chassé d'Autriche par les nazis. Ces gens étaient cinglés ! Celui-là me fait l'effet d'être un grand bonhomme... spécialiste des maladies de nerfs..., psychanalyste, je crois.

Ses yeux se posèrent sur la silhouette de la femme qui regardait les montagnes impitoyables. Il baissa le ton.

— Le serveur m'a donné son nom. Elle s'appelle Mme Grandier. Son mari est mort en faisant une ascension... Je trouve qu'il faudrait essayer de la distraire, de la faire changer d'idée.

— A votre place, dit Poirot, je m'en abstiendrais.

Mais la surveillance de Mr Schwartz était sans limites. Poirot le vit dans sa tentative d'approche et l'accueil qu'il reçut. La femme était plus grande que Schwartz. Elle rejeta la tête en arrière, les traits figés.

Poirot n'entendit pas ce qu'elle dit à Schwartz mais regarda celui-ci revenir, l'air abattu.

— Rien à faire, constata-t-il. Puis il ajouta, pensif : « Je ne vois pas pourquoi nous n'aurions pas pu sympathiser tous les deux... n'est-ce pas, Monsieur... je ne sais même pas votre nom. »

— Je m'appelle Poirier, répondit Poirot. Je suis un marchand de soie de Lyon.

— Je vais vous donner ma carte, M. Poirier, et, croyez-moi, si jamais vous venez à Fountain Springs, vous y serez le bienvenu.

Poirot accepta le bristol, porta la main à sa poche.

— Merci. Hélas ! je n'ai pas de carte sur moi...

Ce soir-là, au moment de se coucher, Poirot relut avec soin la lettre de Lementeuil, puis la replaça dans son portefeuille. « C'est curieux, murmura-t-il, je me demande si... »

3

Gustave, le garçon, en apportant son petit déjeuner à Poirot, le pria de l'excuser sur la qualité du café.

— Monsieur comprendra qu'à cette altitude il est impossible d'avoir du café convenable. L'eau bout trop vite.

— Il faut savoir accepter de bonne grâce ces bizarreries de la nature, répondit Poirot.

— Monsieur est philosophe, murmura Gustave.

Il se dirigea vers la porte mais, au lieu de partir de la pièce, il jeta un coup d'œil à l'extérieur, referma la porte et revint auprès du lit.

— Monsieur Hercule Poirot ? dit-il. Je suis Drouet, inspecteur de police.

— Je m'en doutais un peu.

Drouet baissa le ton.

— Monsieur Poirot, il vient de se passer un accident très grave au funiculaire.

— Un accident ! répéta Poirot qui se redressa vivement. Quelle sorte d'accident ?

— Il n'y a pas de blessé. Cela s'est passé cette nuit. Une petite avalanche de rochers et de pierres. Peut-être est-elle naturelle, peut-être aussi a-t-elle été provoquée ? En tout cas, il faudra plusieurs jours pour réparer et, en attendant, nous sommes *coupés de tout*. Aussitôt dans la saison, alors que la neige est encore très épaisse, il est impossible de communiquer avec la vallée.

— C'est fort intéressant, dit Poirot d'une voix douce.

L'inspecteur acquiesça d'un signe de tête.

— Oui, approuva-t-il. Cela montre que l'information de notre commissaire est correcte. Marrascaud a un rendez-vous ici et il s'est arrangé pour qu'on ne le dérange pas.

— Mais c'est ahurissant ! s'écria Poirot.

— Oh ! ce Marrascaud n'est pas le premier venu. Pour ma part, je le crois fou.

— Un fou meurtrier !

— Ah ! ça, j'avoue que ce n'est pas réjouissant.

— Mais, dans ce cas, cela implique que ce Marrascaud est *déjà* ici puisque toutes les communications sont coupées.

— Je le sais.

Les deux hommes se turent un instant. Puis :

— Ce docteur Lutz ? Peut-il être Marrascaud ? demanda Poirot.

Drouet secoua la tête.

— Je ne le crois pas. J'ai vu de ses photos dans les journaux. Elles sont très ressemblantes.

— Si Marrascaud sait se grimer...

— Oui, mais le sait-il ? Je ne l'ai jamais entendu dire. Il n'est ni habile ni tortueux. Il charge dans des accès de fureur aveugle, comme un sanglier.

— Cependant...

— Oui, reconnut vivement Drouet, il a su s'échapper. De ce fait, il est forcé de modifier son apparence, plus ou moins.

— Vous avez sa description ?

L'autre haussa les épaules.

— *Grosso modo*. Je devais recevoir aujourd'hui sa photo et ses mensurations. Il a une trentaine d'années. Il est légèrement plus grand que la moyenne et il a le teint mat. Pas de signe particulier.

— Cela pourrait s'appliquer à n'importe qui. Que savez-vous de l'Américain Schwartz ?

— J'allais vous poser la même question. Vous lui avez parlé et vous avez beaucoup vécu avec des Anglais et des Américains. Au premier coup d'œil, il paraît être un touriste normal. Son passeport est en règle. Qu'il ait voulu venir ici peut sembler bizarre, mais avec les Américains... Qu'en pensez-vous ?

— Il semble être un garçon aimable et inoffensif. Il peut être très ennuyeux mais il me paraît difficile de le juger dangereux. Mais il y a trois autres visiteurs.

L'inspecteur fit un signe de tête, le visage plus animé soudain.

— Oui. Ils appartiennent au genre d'homme que nous recherchons. Je vous parierais, monsieur Poirot, qu'ils font partie de la bande de Marrascaud, si l'un d'eux n'est pas Marrascaud lui-même.

Poirot réfléchissait ; il revoyait les trois visages vulgaires à des degrés divers. Oui, l'un d'eux pouvait être l'assassin. Mais *pourquoi* Marrascaud et deux de ses complices auraient-il entrepris ce voyage ensemble pour se réunir dans une souricière, en pleine montagne ? Il existait certainement des endroits plus sûrs et plus faciles d'accès : un café, une gare, un cinéma, un jardin public, enfin, un lieu d'où l'on puisse sortir ! Alors qu'ici, dans ce désert abandonné à la neige...

Il confia sa pensée à l'inspecteur Drouet et celui-ci fut facilement convaincu.

— Dans ce cas, il faut envisager une autre

supposition. Ces trois hommes font partie de la bande de Marrascaud et ils sont venus ici pour l'y rencontrer. Qui, alors, est Marrascaud ?

— Le personnel de l'hôtel ?

Drouet haussa les épaules.

— Il n'y en a pas pour le moment, à proprement parler. Une vieille femme qui fait la cuisine et son vieux mari, Jacques. Cela fait bien cinquante ans qu'ils sont là tous les deux. Puis le serveur dont j'ai pris la place, et c'est tout.

— Le gérant sait qui vous êtes ?

— Naturellement. Il me fallait sa collaboration.

— Avez-vous remarqué qu'il semble inquiet ?

Drouet accusa le coup.

— Oui, c'est exact, dit-il, songeur.

— Peut-être n'est-ce dû qu'à l'ennui d'être mêlé à une enquête de police.

— Mais vous pensez que c'est plus que cela ? Vous estimez qu'il... sait quelque chose ?

— J'y ai pensé, c'est tout.

— Je me le demande, dit Drouet, le sourcil froncé.

Il réfléchit puis demanda :

— ... Croyez-vous qu'on puisse lui tirer la vérité ?

Poirot hocha la tête.

— Le mieux, je pense, serait de le laisser

dans l'ignorance de nos soupçons. Gardons-le à l'œil, c'est tout.

Drouet acquiesça et se disposa à partir.

— Vous n'avez aucune suggestion à faire, monsieur Poirot ? Je... je connais votre réputation.

— Pour le moment, non. Mais, pourquoi avoir choisi cet endroit pour se donner rendez-vous et pourquoi aussi se donner rendez-vous ?

— L'argent, répondit brièvement Drouet.

— Alors, ce pauvre Salley a été dévalisé aussi ?

— Oui, il avait une grosse somme sur lui qui a disparu.

— Et, à votre avis, ce rendez-vous est fixé pour qu'on procède au partage ?

— C'est l'idée qui paraît la plus plausible.

Poirot secoua la tête, mécontent.

— Oui, mais pourquoi *ici* ? C'est le dernier des endroits pour une réunion de criminels. On vient ici pour y voir une femme...

Drouet fit un pas en avant.

— Vous croyez...

— Mme Grandier est une très belle femme. Et je pense que n'importe qui ferait une pareille ascension... pour peu qu'elle l'ait suggérée.

— Jamais je n'aurais pensé à la mêler à cette affaire. Cela fait des années qu'elle vient régulièrement ici.

— Oui, dit doucement Poirot, et, *de ce fait, sa présence ne provoquerait aucun commentaire.*

4

La journée se passa sans incident. Fort heureusement, l'hôtel était bien approvisionné et il n'y avait pas lieu de s'inquiéter pour les repas.

Hercule Poirot tenta de lier conversation avec le docteur Karl Lutz qui l'envoya promener. Il lui déclara, sans ambages, qu'il faisait profession de psychologie et qu'il n'entendait pas en discuter avec des amateurs. Assis dans un coin, il lisait un gros ouvrage allemand traitant du subconscient.

Le détective, au hasard, se dirigea vers les cuisines où il rencontra le vieux Jacques qui le regarda de travers. Sa femme, la cuisinière, se montra plus affable. Heureusement, expliqua-t-elle à Poirot, ils disposaient d'une vaste réserve de conserves, bien qu'à mon avis, on ne pouvait pas faire de bonne cuisine avec de la nourriture en boîte. C'était hors de prix. Et nourrissant ? Voulez-vous me dire un peu ?

De la nourriture, la conversation passa à la domesticité de l'hôtel. Les femmes de chambres et les garçons arrivaient au début de juillet mais, pour les trois semaines à venir, il n'y aurait personne, ou peu s'en fallait. La plupart des gens montaient, déjeunaient et redescendaient. Jacques, elle-même, et un serviteur pouvaient s'en tirer.

— Il y avait déjà un serveur avant Gustave, n'est-ce pas ? demanda Poirot.

— Oh oui, mais pas dégourdi. Pas d'expérience, maladroit, aucune classe.

— Combien de temps est-il resté ici avant que Gustave le remplace ?

— Quelques jours à peine. Naturellement, on l'a renvoyé. Ça n'a surpris personne. C'était à prévoir.

— Il n'a pas protesté ?

— Oh non ! Il est parti bien tranquillement. Après tout, qu'est-ce qu'il pouvait attendre ? C'est un hôtel réputé. Il faut que le service soit bien fait.

— Où est-il parti ? demanda Poirot.

— Robert ? Elle haussa les épaules. Sans doute est-il retourné dans le petit café d'où il venait.

— Il est reparti par le funiculaire ?

La vieille lui lança un regard surpris.

— Naturellement, Monsieur. Quel autre chemin aurait-il pu prendre ?

— Quelqu'un l'a-t-il accompagné ?

Même le vieux, cette fois-ci, leva la tête pour le regarder avec stupeur.

— Vous n'allez tout de même pas croire

qu'on allait se déranger pour un animal comme ça... On a ses propres affaires.

— Justement.

Hercule Poirot s'éloigna lentement. Seule une des ailes de l'hôtel, très grand, était ouverte en cette saison. Dans l'autre aile, personne n'occupait les chambres aux volets clos...

Poirot fit le tour du bâtiment et faillit heurter un des trois joueurs de cartes. Il posa sur le visage du détective le regard inexpressif de ses yeux pâles. Puis il retroussa un peu les lèvres, dégageant ses dents comme un cheval vicieux.

Poirot poursuivit son chemin. Devant lui, la silhouette élancée de Mme Grandier s'éloignait. Il hâta un peu le pas pour la rejoindre.

— Cet accident arrivé au funiculaire est bien ennuyeux. J'espère, Madame, que cela ne vous gêne pas.

— Cela m'est profondément indifférent, répondit-elle.

Elle avait une voix très grave, un contralto. Sans regarder le détective, elle s'écarta et franchit une petite porte de côté.

5

Hercule Poirot se coucha de bonne heure. Il se réveilla un peu après minuit.

Quelqu'un manipulait la serrure de sa porte.

Il se redressa, fit de la lumière. A ce moment, la serrure céda à la pression extérieure et la porte s'ouvrit brusquement, livrant passage à trois hommes. Les trois joueurs de cartes. Ils semblaient ivres. Poirot vit briller une lame de rasoir.

Le plus grand des trois fit un pas en avant.

— Sale cochon de détective ! dit-il d'une voix pâteuse.

Puis il se lança dans un flot de grossièretés. « ... Alors, les gars, continua-t-il à l'intention de ses congénères qui s'étaient, eux aussi, rapprochés de l'homme couché sans défense. Alors, on le découpe en lanières ? On va faire une belle petite figure à M. le Détective ? Ce ne sera pas le premier, ce soir. »

Ils étaient tous armés d'un rasoir et bien déterminés à s'en servir.

— Haut les mains !

Ils se retournèrent d'un seul mouvement. Schwartz, dans un pyjama aux couleurs agressives, se tenait sur le seuil, un pistolet automatique au poing.

— Allez, les mains en l'air ! Je suis très bon tireur.

Il appuya sur la détente et une balle, effleurant l'oreille du plus gros des bandits, s'enfonça dans l'encadrement de la fenêtre.

Six bras se levèrent aussitôt.

— Puis-je vous demander votre aide, monsieur Poirier ?

Poirot se leva d'un seul bond. Il ramassa les rasoirs et s'assura, du bout des doigts, que ses visiteurs intempestifs ne portaient pas d'autres armes sur eux.

— Allez, en route, maintenant ! ordonna Schwartz. Il y a un grand placard au bout du couloir. Il est dépourvu de fenêtre. C'est tout à fait ce qu'il nous faut.

Il y fit entrer son gibier et ferma la porte à clef. Puis il se tourna vers Poirot.

— Ce n'est pas mal, hein ? dit-il ému et satisfait. Savez-vous, monsieur Poirier, qu'à Fountain Springs, on s'est moqué de moi quand j'ai dit que j'emportais un pistolet !

— Cher Monsieur, en ce qui me concerne, vous êtes arrivé au moment critique. Je me demande comment cela se serait terminé sans votre intervention.

— Je vous en prie. Mais qu'allons-nous faire ? Il faudrait livrer ces individus à la police et on ne peut pas ! Le problème est épineux. Peut-être faudrait-il consulter le gérant ?

— Ah oui, le gérant. Il vaut mieux demander tout d'abord son avis au serveur Gustave, alias inspecteur Drouet. Oui, c'est réellement un détective.

Schwartz le regarda avec stupeur.

— C'est pour ça qu'ils ont fait cela !

— Fait quoi ?

— Ces crapules vous avaient mis en second sur leur liste. Ils ont déjà tailladé Gustave.

— *Quoi ?*

— Venez avec moi. Le médecin s'occupe de lui.

La chambre de Drouet était une petite pièce du dernier étage. Le docteur Lutz, en robe de chambre, s'activait à bander le visage du blessé. Il tourna la tête à leur arrivée.

— Ah ! c'est vous, monsieur Schwartz. Une vraie boucherie ! Quels monstres, ces individus.

Drouet, immobile, gémissait sourdement.

— Est-il en danger ? demanda Schwartz.

— Il ne mourra pas si c'est à cela que vous pensez. Mais qu'on ne le fasse pas parler, qu'il ne s'agite pas. J'ai désinfecté les blessures... Il n'y a pas de risque de septicémie.

Les trois hommes quittèrent la pièce ensemble.

— Ne m'avez-vous pas dit que Gustave est officier de police ? demanda Schwartz à Poirot.

Celui-ci fit un signe de tête affirmatif.

« ... Que fait-il aux Roches-Neiges ? »

— On l'avait chargé de pister un criminel très dangereux.

Et, en quelques mots, Poirot expliqua la situation.

— Marrascaud ? répéta le docteur Lutz. J'ai lu quelque chose à son sujet. J'aimerais beaucoup rencontrer cet homme, connaître les détails de son enfance... C'est un curieux phénomène.

— Quant à moi, dit Hercule Poirot, j'aimerais savoir où il est en ce moment précis.

— N'est-ce pas l'un des trois types que nous avons enfermés dans le placard ? demanda Schwartz.

— Cela se peut, répondit Poirot sans conviction. Mais je n'en suis pas sûr... J'ai une idée.

Il s'interrompit, le regard fixé sur le tapis. Des taches brun foncé marquaient sa surface beige clair.

— ... Des traces de pas... du sang. Vite, il n'y a pas de temps à perdre. L'aile inoccupée !

Les deux autres hommes le suivirent. Les marques de pieds restaient visibles sur la moquette pâle, tout au long du couloir, jusqu'à une porte restée entrouverte. Poirot la poussa et ne put retenir une exclamation d'horreur.

On avait dormi dans le lit et la table supportait un plateau chargé des vestiges d'un repas.

Par terre, au milieu de la pièce, il y avait le cadavre d'un homme qu'on avait traité avec une incroyable sauvagerie. Une douzaine de blessures béaient sur sa poitrine et ses bras. Son visage n'était plus qu'une bouillie sanglante.

Schwartz émit une sorte de plainte et se détourna, luttant contre la nausée.

Le docteur Lutz eut une imprécation en allemand.

— Qui est-ce ? demanda Schwartz d'une voix faible. Quelqu'un connaît ce garçon ?

— Je crois, répondit Poirot, qu'on le connaissait ici sous le nom de Robert, un serveur assez malhabile...

Lutz s'était approché du corps. Du doigt, il désigna un papier épinglé sur lui et portant quelques mots griffonnés.

Marrascaud ne tuera plus... et ne volera plus ses amis !

— Marrascaud ! bredouilla Schwartz. C'est lui. Mais qu'est-ce qui l'a amené à cet endroit perdu ? Et pourquoi m'avez-vous dit qu'il s'appelait Robert ?

— Il s'était fait passer pour un serveur... très mauvais, à ce qu'il paraît. Si mauvais que personne n'a été surpris qu'on le renvoie. Il est parti soi-disant pour retourner à Andermatt. *Mais personne ne l'a vu partir.*

— Ah !... dit Lutz de sa voix un peu grondante. Et qu'est-il arrivé, à votre avis ?

— Sans doute aurons-nous là l'explication de l'air anxieux du gérant. Marrascaud a dû lui offrir une belle somme pour qu'il l'autorise à rester caché dans l'aile inemployée de l'hôtel...

mais cette solution ne plaisait pas au gérant, elle ne lui plaisait même pas du tout.

— Et pourquoi a-t-on tué Marrascaud ? demanda Schwartz. Et qui l'a tué ?

— Ça, c'est facile à comprendre ! s'écria Schwartz. Il devait partager son argent avec sa bande. Il ne l'a pas fait et les a filoutés. Il est venu ici pour se retirer du circuit. Il pensait que ce serait le dernier endroit où les autres viendraient le chercher. Mais ils en ont eu vent, d'une façon ou d'une autre. Et ils ont réglé leurs comptes, comme ça.

— Ces « comment » et « pourquoi » sont peut-être fort intéressants, dit Lutz avec irritation, mais c'est notre situation actuelle qui m'importe. Nous avons un cadavre ici. J'ai un blessé sur les bras, je suis à court de produits pharmaceutiques et nous sommes coupés du monde ! Pour combien de temps ?

— Et nous avons trois meurtriers enfermés dans un placard, ajouta Schwartz. C'est ce que j'appellerais une situation intéressante.

— Qu'allons-nous faire ? demanda Lutz.

— Tout d'abord trouver le gérant. Ce n'est pas un criminel, mais un homme qui aime l'argent. C'est aussi un lâche. Il fera tout ce que nous lui dirons de faire. Mon bon ami Jacques, ou sa femme, nous fourniront sans doute un peu de corde. Nous mettrons nos trois crapules dans un endroit que nous pourrons surveiller facilement en attendant de l'aide. L'automatique de Mr Schwartz donnera beaucoup de persuasion à nos arguments.

— Et moi ? Que dois-je faire ? demanda Lutz.

— Vous, Docteur, répondit Poirot avec gravité, vous ferez ce que vous pourrez pour votre patient. Nous autres, nous veillerons et attendrons.

6

Trois jours plus tard, un petit groupe d'hommes parut devant l'hôtel aux premières heures de la matinée.

Ce fut Hercule Poirot qui leur ouvrit la porte.

— Mon vieux, vous êtes le bienvenu !

Le commissaire Lementeuil saisit les deux mains de Poirot.

— Ah ! mon ami, quelle émotion ! Vous n'imaginez pas par quelle anxiété nous sommes passés. Nous avons tout craint, tout supposé. Aucun moyen de communication. Cet héliographe, cela a été un trait de génie !

— Mais non, mais non, protesta Poirot, modeste. Le soleil brille toujours pour l'homme...

— On ne nous attend pas ? demanda Lementeuil avec un sourire ironique comme ils entraient dans l'hôtel.

Poirot sourit, lui aussi.

— Non, on croit que le funiculaire n'est pas encore réparé.

— Ah ! Quel grand jour ! Vous êtes sûr qu'il s'agit bien de Marrascaud ?

— Parfaitement. Venez avec moi.

Ils gravirent l'escalier au faîte duquel une porte s'ouvrit laissant passage à Schwartz en robe de chambre, l'air très surpris.

— J'ai entendu des voix, dit-il. De quoi s'agit-il ?

— Le secours est arrivé ! répondit Poirot avec emphase. Accompagnez-nous, Monsieur, l'heure est historique.

Puis il se dirigea vers l'étage supérieur.

— Vous allez voir Drouet ? Comment va-t-il, à propos ?

— D'après le docteur Lutz, il a passé une bonne nuit.

Arrivé devant la chambre du blessé, Poirot ouvrit la porte d'un seul coup.

— *Voici votre sanglier furieux*, Messieurs, annonça-t-il. Prenez-le vivant et faites en sorte qu'il n'échappe pas à la guillotine.

L'homme étendu sur le lit, le visage encore couvert de pansements, se redressa brusquement. Mais les policiers lui avaient saisi les bras avant qu'il ait pu faire un mouvement.

— Mais, s'écria Schwartz stupéfait. C'est Gustave, c'est l'inspecteur Drouet !

— C'est Gustave, oui, mais *ce n'est pas l'ins-*

pecteur Drouet. Drouet était le *premier* serveur, retenu prisonnier dans l'aile inoccupée de l'hôtel et massacré par Marrascaud la nuit où l'on m'a attaqué.

7

— Comprenez-vous, dit Poirot à l'Américain toujours aussi stupéfait, pendant le petit déjeuner. Quand on exerce une profession, il est certaines choses que l'on sait. La différence, par exemple, qui existe entre un détective et un assassin ! Gustave n'était pas serveur, cela, je m'en doutais aussitôt mais il *n'était pas non plus policier.* J'ai eu affaire à eux toute ma vie et je les connais. Cela m'a mis aussitôt sur mes gardes. Le soir, je ne bus pas mon café. Je le jetai. Et je fis bien. Au cours de la nuit, un homme est entré chez moi avec l'assurance de quelqu'un qui sait que l'occupant de la chambre qu'il visite est drogué. Il a fouillé partout et il a trouvé dans mon portefeuille, où je l'avais laissée à son intention, la lettre de Lementeuil. Le lendemain matin, Gustave est venu m'apporter mon petit déjeuner et il a joué son rôle avec une totale assurance. Mais il était très anxieux car, d'une façon ou d'une autre, la police avait retrouvé sa trace. Cela bouleversait tous ses plans. Il était pris au piège comme un rat.

— Pourquoi aussi cette idée stupide de venir ici ? demanda Schwartz.

— Ce n'est pas si stupide qu'il y paraît, répondit Poirot. Il lui fallait absolument un endroit très retiré où il lui serait loisible de rencontrer certaine personne.

— Qui cela ?

— Le docteur Lutz.

— Quoi ? C'est un bandit, lui aussi ?

— Il est bien le docteur Lutz mais il n'est ni spécialiste des nerfs, ni psychanalyste. C'est un *chirurgien*, mon cher, *spécialisé dans la chirurgie esthétique*. Expulsé de son pays, il est pauvre, maintenant. On lui a offert de beaux honoraires pour rencontrer un homme ici et lui modifier le visage. Sans doute a-t-il compris qu'il s'agissait d'un criminel mais il a fermé les yeux. Personne ne vient ici aussi tôt dans la saison, le gérant a besoin d'argent, on peut l'acheter facilement. L'endroit semble idéal. Mais Marrascaud a été trahi. Sa garde du corps, les trois hommes chargés de veiller sur lui ne sont pas encore arrivés. Marrascaud n'attend pas. Il enlève le policier qui joue le rôle de serveur et prend sa place. On s'arrange pour mettre le funiculaire hors de service. Il n'y a pas une minute à perdre. Le lendemain soir, on tue Drouet et on épingle un papier sur son cadavre. D'ici que le funiculaire soit réparé et les communications rétablies avec le monde, peut-être aura-t-on enterré

Drouet sous le nom de Marrascaud. Le docteur Lutz opère sans délai. Mais il faut réduire un homme au silence : Hercule Poirot. La bande reçoit l'ordre de m'attaquer. Mille mercis, mon ami...

Poirot s'inclina avec grâce devant Schwartz qui demanda :

— Ainsi, vous êtes réellement Hercule Poirot ?

— Mais oui.

— Et, dès la première minute, vous avez su que le cadavre n'était pas celui de Marrascaud ?

— Parfaitement.

— Pourquoi ne l'avez-vous pas dit ?

— Parce que je voulais être absolument certain de livrer le vrai Marrascaud à la police.

« ... *De capturer vivant le sanglier d'Erymanthe*, ajouta-t-il tout bas.

CHAPITRE V

LES OISEAUX DU LAC STYMPHALE

(THE STYMPHALEAN BIRDS)

Harold Waring les remarqua alors qu'elles remontaient l'allée venant du lac. Il faisait beau, le ciel était bleu et le soleil brillait. Harold, assis sur la terrasse de l'hôtel, fumait la pipe et songeait qu'il faisait bon vivre.

Sa carrière politique prenait forme de la façon la plus satisfaisante. Un sous-secrétariat à trente ans, c'était beau. Il pouvait être fier. Le Premier ministre aurait dit que « le jeune Waring irait loin ». La vie se présentait sous de ravissantes couleurs.

Harold avait décidé de prendre des vacances en Herzoslovaquie pour éviter les sentiers battus et se reposer réellement loin de tout et de tous. L'hôtel, au bord du lac Stempka, bien que petit, était confortable. Les autres occupants étaient, pour la plupart, des étrangers à la région, eux aussi. Les seuls Anglais, étaient représentés par une femme d'un certain âge, Mrs Rice, et sa fille, Mrs Clayton. Harold les trouvait sympathiques toutes les deux. Elsie Clayton était jolie, dans un genre un peu démodé. Elle se maquillait à peine, sinon pas du tout, et faisait preuve d'une grande réserve, de timidité presque. Mrs Rice était ce que l'on a coutume d'appeler une femme de caractère. Grande, la voix grave, elle avait l'habitude de prendre des décisions mais elle n'était pas dépourvue d'esprit et sa compagnie était amusante. Visiblement, elle ne vivait que pour sa fille.

Harold avait passé des heures fort agréables avec la mère et la fille mais elles ne cherchaient en rien à le monopoliser. Les autres clients de l'hôtel venaient souvent par groupes, en voyages organisés. Ils restaient une ou deux nuits, puis repartaient. Harold y avait à peine prêté attention jusqu'à ce que...

Elles montaient l'allée venant du lac, très lentement et, juste au moment où Harold les remarqua, un nuage passa sur le soleil. Le jeune homme eut un léger frisson.

Ces deux femmes avaient un aspect extraordinaire. Leur nez était long et courbe, comme un bec d'oiseau, et leurs traits avaient une fixité étrange. Elles se ressemblaient de façon étonnante. Chacune d'elles avait, jetée sur les épaules, une cape qui battait comme les ailes d'un grand oiseau.

Les deux femmes se dirigeaient droit sur la terrasse. Elles n'étaient plus très jeunes, cinquante ans peut-être. Leur ressemblance était par trop frappante pour qu'elles ne soient pas sœurs. En passant à côté du jeune homme, elles le regardèrent avec attention, longuement.

Harold, mal à l'aise, détourna les yeux, vit une main crochue comme une serre...

« Quelles horribles femmes ! De véritables oiseaux de proie... »

L'arrivée de Mrs Rice le détourna de ses sombres pensées. Il se précipita pour lui avancer un siège. Elle le remercia d'un mot, s'assit et, selon son habitude, se mit à tricoter avec énergie.

— Avez-vous vu ces femmes qui viennent d'entrer dans l'hôtel ? demanda Harold.

— Avec des capes ? Oui, je les ai croisées.

— Elles sont extraordinaires, n'est-ce pas ?

— Comment ? Oui, peut-être. Elles ne sont arrivées que d'hier, je crois. Elles se ressemblent beaucoup... Elles doivent être jumelles.

— Peut-être ai-je trop d'imagination, risqua le jeune homme, mais je les trouve diaboliques.

— Tiens ? Il faudra que je les regarde de plus près... Le concierge nous dira qui elles sont. Elles ne doivent pas être anglaises.

— Oh ! non.

Mrs Rice jeta un coup d'œil à sa montre.

— L'heure du thé. Auriez-vous l'amabilité de sonner, monsieur Waring ?

— Mais comment donc ?

Il s'exécuta puis regagna son siège.

— Où est votre fille, cet après-midi ? demanda-t-il.

— Elsie ? Nous avons fait une promenade ensemble. Le tour du lac, puis la pinède. C'était délicieux.

Un garçon s'approcha, qui reçut des ordres pour le thé.

« ... Elsie a reçu une lettre de son mari, poursuivit Mrs Rice quand le serveur se fut éloigné. Sans doute ne descendra-t-elle pas ? »

— Son mari ? répéta Harold étonné. Je la croyais veuve !

Mrs Rice lui lança un coup d'œil aigu.

— Oh ! non, dit-elle sèchement. Elsie n'est pas veuve. Malheureusement, dit-elle avec emphase.

Harold ne put cacher sa suprise.

— ... Eh oui, monsieur Waring, la boisson est responsable de bien des malheurs.

— Il boit ?

— Oui. Et cela ne suffit pas. Il est d'une jalousie maladive et d'une violence de caractère incroyable — elle poussa un soupir. Ah ! le monde est dur, monsieur Waring. J'adore Elsie, c'est mon seul enfant... et la voir malheureuse me brise le cœur.

— Elle est tellement douce ! dit Harold sincère.

— Un peu trop, sans doute.

— Pardon ?

— Une femme heureuse a plus d'arrogance. La douceur d'Elsie vient, je crois, d'un sentiment de défaite. La vie a été trop cruelle pour elle.

— Comment... comment a-t-elle épousé son mari ?

— Philip Clayton était un garçon très séduisant. Il avait — il a encore — beaucoup de charme. Il disposait d'une jolie fortune et il ne s'est trouvé personne pour nous aviser de son vrai caractère. J'étais veuve depuis longtemps. Deux femmes vivant seules sont mauvais juges...

— Oui, c'est exact, dit Harold, pensif.

Il se sentait saisi de pitié et d'indignation. Elsie Clayton n'avait certainement pas plus de vingt-cinq ans. Il revoyait le regard clair de ses yeux bleus, la courbe tendre de ses lèvres. Et, soudain, il comprit que l'intérêt qu'il lui portait dépassait les limites de la simple amitié.

Et elle était liée à une brute...

2

Après le dîner, Harold rejoignit la mère et la fille. Elsie Clayton portait une robe d'un rose très doux. Elle avait certainement pleuré, ses paupières étaient rouges.

— J'ai trouvé qui sont vos deux harpies, monsieur Warning, dit Mrs Rice avec jovialité. Des Polonaises, d'excellente famille, m'a dit le concierge.

Harold regarda dans la direction des deux dames polonaises.

— Ces deux femmes, là-bas ? demanda Elsie avec intérêt. Celles qui ont les cheveux teints ? Elles ont quelque chose de sinistre... je ne sais pas pourquoi.

— C'est exactement ce que j'ai dit ! déclara Harold triomphant.

Mrs Rice se mit à rire.

— Vous êtes ridicules tous les deux. On ne peut pas se faire une opinion sur les gens rien qu'en les regardant.

— Non, bien sûr, admit Elsie de bonne grâce. Mais elles me font penser à des vautours.

— Qui arrachent les yeux des cadavres ! insista Harold.

— Oh ! non ! protesta la jeune femme horrifiée.

— Excusez-moi.

— De toute façon, il y a peu de chance pour qu'elles croisent jamais notre route, dit Mrs Rice.

— Nous n'avons aucun secret coupable, déclara Elsie.

— Mais peut-être Mr Waring en a-t-il, insinua la mère avec un petit clin d'œil.

— Pas le moindre. Ma vie est un livre ouvert. « Quels fous sont les gens qui dévient de la ligne droite, songea-t-il brusquement. Une conscience pure, c'est tout ce dont on a besoin dans la vie. Avec ça, on peut affronter le monde et envoyer au diable tous ceux qui se mettent en travers de votre route. »

Il se sentit soudain très fort, absolument maître de son destin.

3

Comme beaucoup d'autres Anglais, Harold Waring était très mauvais linguiste. Son français était trébuchant et marqué d'un accent typiquement britannique. Il ne savait pas un mot d'allemand, ni d'italien.

Jusque-là, cela ne l'avait pas gêné. Dans la plupart des hôtels du continent, il avait toujours trouvé quelqu'un qui parlait anglais.

Mais dans cet endroit retiré où la langue du cru était une variante du slovaque et où seul le concierge parlait allemand, Harold était vexé de devoir avoir recours à l'une de ses compatriotes comme interprète. Mrs Rice, qui était polyglotte, parlait même un peu slovaque.

Harold décida de se mettre à l'étude de l'allemand. Il faisait beau et, après avoir écrit quelques lettres, le jeune homme constata qu'il lui restait une heure avant le déjeuner pour se promener. Il descendit en direction du lac puis tourna vers le bois de sapins. Il marchait depuis cinq minutes environ quand un bruit frappa son oreille. Impossible de s'y tromper : à quelques mètres, une femme pleurait toutes les larmes de son cœur.

Harold s'arrêta un instant puis il se dirigea vers l'endroit d'où venait le son. Elsie Clayton, assise sur un tronc d'arbre, le visage enfoui dans ses mains, sanglotait.

— Madame Clayton, dit doucement Harold. « Elsie ? »

Elle sursauta violemment et leva les yeux sur lui. Il s'assit à côté d'elle.

— ... Puis-je faire quelque chose ? proposa-t-il avec chaleur.

Elle secoua la tête.

— Non... non... vous êtes très bon. Mais vous ne pouvez rien pour moi.

— Est-ce... est-ce à cause de votre mari ? demanda-t-il gêné.

Elle fit un signe affirmatif. Puis elle s'essuya les yeux et sortit son poudrier, luttant pour reprendre son sang-froid.

— Je ne veux pas que ma mère s'inquiète, dit-elle d'une voix tremblante. Elle est tellement bouleversée quand elle me voit malheureuse. Alors je suis venue ici pour pleurer un bon coup.

C'est bête, je le sais. Pleurer ne sert à rien. Mais... parfois... la vie semble tellement insupportable.

— Je suis profondément désolé, dit Harold.

Elle lui lança un regard reconnaissant. Puis elle dit, très vite :

— Tout est de ma faute. J'ai épousé Philip de mon plein gré. Je suis la seule à blâmer, si cela... a si mal tourné.

— Vous êtes courageuse de présenter les choses de cette façon.

Elle secoua la tête.

— Oh ! non, je ne suis pas courageuse. Je ne suis pas brave du tout. Je suis très lâche. C'est en partie l'ennui, avec Philip. Il me terrifie quand il a une crise de rage, je meurs de peur.

— Mais il faut le quitter ! s'écria Harold.

— Je n'ose pas. Il... il ne voudrait pas me laisser partir.

— C'est ridicule. Pourquoi ne divorcez-vous pas ?

— Je n'ai aucun motif. (Elle se redressa.) Non, il faut que je me fasse à mon sort. Vous savez, je passe beaucoup de temps avec ma mère. Philip n'y voit aucun inconvénient. Surtout lorsque nous sortons des sentiers battus, comme ici.

Elle rougit, hésita un peu avant de poursuivre.

— ... Mais il est d'une telle jalousie ! Si... si

je m'aventure à parler seulement à un autre homme, il me fait des scènes affreuses.

L'indignation de Harold ne faisait que croître. Il avait entendu beaucoup de femmes se plaindre de la jalousie de leur mari et, tout en manifestant sa sympathie, au fond de son cœur, il avait pensé que l'époux avait amplement raison. Mais Elsie Clayton n'était pas de ces femmes volages. Jamais elle ne lui avait même adressé un regard de coquetterie.

Elsie s'écarta de lui avec un petit frisson. Elle leva les yeux vers le ciel.

— Le soleil est caché. Il fait froid. Nous ferions mieux de rentrer à l'hôtel. Il va bientôt être l'heure de déjeuner.

Ils se levèrent et reprirent le chemin de l'hôtel. Ils marchaient depuis une minute environ lorsqu'ils aperçurent une silhouette avançant dans la même direction qu'eux. Ils l'identifièrent facilement à sa cape. C'était l'une des sœurs polonaises.

Ils la dépassèrent et Harold s'inclina. Elle ne répondit pas mais les regarda tous deux avec une insistance qui fit rougir le jeune homme. Cette femme l'avait-elle vu assis sur le tronc d'arbre, à côté de Elsie ? Dans l'affirmative, sans doute pensait-elle que...

En tout cas, elle avait l'air de penser que... Une vague d'indignation le souleva. Dieu, que certaines femmes ont un sale esprit !

Le soleil s'était caché... ils avaient frissonné tous les deux... Etait-elle en train de les espionner à cet instant même ?

Harold se sentit soudain mal à l'aise.

4

Ce soir-là, Harold regagna sa chambre un peu après dix heures. Le courrier était arrivé et il avait reçu beaucoup de lettres dont certaines exigeaient une réponse immédiate.

En pyjama et robe de chambre, il se mit au travail. Il avait écrit trois lettres et commençait la quatrième lorsque la porte s'ouvrit en coup de vent et Elsie Clayton se précipita dans la chambre.

Harold se leva précipitamment. Elsie avait repoussé la porte derrière elle et se cramponnait au bord de la commode. Blanche comme une morte, elle respirait par saccades. Elle semblait absolument terrifiée.

— C'est mon mari ! bredouilla-t-elle. Il est arrivé brusquement. Je... je crois qu'il veut me tuer. Il est fou... fou. Protégez-moi. Ne le laissez pas me trouver.

Elle fit quelques pas. Elle tremblait si fort qu'elle faillit tomber. Harold avança le bras pour la soutenir. A cet instant précis, la porte s'ouvrit brusquement et un homme s'encadra sur le seuil.

De taille moyenne, il avait des sourcils épais et des cheveux bruns, très lisses. Il brandissait une lourde clef anglaise.

— Alors la Polonaise avait raison ! dit-il d'une voix que la rage rendait aiguë. Tu t'amuses avec cet individu !

— Non, Philip, non ! s'écria Elsie. Ce n'est pas vrai. Tu te trompes !

L'homme avançait, menaçant, et Harold se plaça devant la jeune femme.

— Je me trompe, alors que je te trouve dans sa chambre ! Garce ! Je te tuerai !

Et il chercha, d'un geste vif, à écarter Harold pour atteindre Elsie qui poussa un cri.

Harold se déplaça pour continuer à offrir le rempart de son corps à la jeune femme. Mais Philip Clayton n'avait qu'une idée : la saisir. Terrifiée, Elsie s'enfuit par la porte restée ouverte et son mari se rua sur ses traces. Harold le suivit sans hésiter une seconde.

Elsie s'était précipitée vers sa chambre située à l'autre bout du couloir. Harold put entendre le bruit de la clef tournant dans la serrure mais trop tard. Philip Clayton avait déjà eu le temps de repousser la porte et de pénétrer dans la pièce. Elsie poussa un cri d'effroi. Harold vola à son secours.

Réduite aux abois la jeune femme se tenait tout contre la fenêtre, cramponnée aux rideaux. Philip Clayton se précipita sur elle, brandissant la clef anglaise. Elsie cria de terreur puis, saisissant un lourd presse-papiers, elle le lança à la tête de son mari.

Clayton s'écroula comme une masse. Harold resta pétrifié dans l'embrasure de la porte. La jeune femme se jeta à genoux à côté de son mari immobile.

Dans le couloir, on entendit le bruit d'un verrou que l'on tirait. Elsie se redressa d'un bond, courut à Harold.

— Je vous en prie, murmura-t-elle d'une voix tremblante. Retournez dans votre chambre... On va venir... vous trouver ici.

Pour l'instant, Clayton était hors de combat. Mais on avait pu entendre les cris d'Elsie. Qu'on trouve Harold chez elle ne pourrait créer qu'embarras et méprise. Pour lui comme pour elle, autant ne pas provoquer de scandale.

Il avait à peine regagné sa chambre qu'il entendit ouvrir une porte.

Il ne se coucha pas et attendit. Tôt ou tard, il le savait, Elsie viendrait. Il attendit près d'une heure. Puis on frappa très doucement à sa porte.

Ce n'était pas Elsie mais sa mère et son aspect consterna Harold. Elle semblait avoir brusquement vieilli de dix ans. Sa tête grise était complètement échevelée et de profonds cernes noirs marquaient ses yeux.

Il s'empressa de lui avancer un siège. Elle s'assit, la respiration oppressée.

— Vous semblez bouleversée, Madame. Puis-je vous offrir quelque chose ?

Elle secoua la tête.

— Non. Ne vous occupez pas de moi. Je suis très bien. Ce n'est que le choc, Mr Waring, il est arrivé quelque chose d'affreux.

— Clayton est-il sérieusement blessé ?

— *Il est mort.*

5

La chambre parut se mettre à tourner. Durant quelques secondes, Harold fut dans l'incapacité de proférer un son.

— *Mort ?* répéta-t-il enfin, d'une voix sourde.

— Le coin du presse-papiers l'a atteint juste à la tempe, dit Mrs Rice d'un ton monocorde, épuisé, et il est tombé la tête sur le garde-feu. Je ne sais pas lequel des deux chocs l'a tué... mais il est mort... cela ne fait aucun doute.

Un désastre, désastre, désastre... Harold ne pouvait penser à autre chose.

— C'est un accident. Je l'ai vu ! dit-il avec véhémence.

— Evidemment ! répondit Mrs Rice, la voix sèche. Je le sais. Mais... mais... tout le monde pensera-t-il la même chose ? Je... franchement, j'ai peur. Nous ne sommes pas en Angleterre.

— Je puis confirmer l'histoire d'Elsie, dit lentement le jeune homme.

— Oui... et elle peut confirmer la vôtre, c'est ça !

Harold, de nature intelligent et prudent, comprit ce qu'elle suggérait, et la faiblesse de leur position.

Il avait passé beaucoup de son temps en compagnie d'Elsie. D'autre part, l'une des Polonaises les avait vus dans le bois de sapins, dans des conditions un peu compromettantes. Ces femmes n'avaient pas l'air de parler anglais mais peut-être en comprenaient-elles quelques mots tels que « jalousie », « mari ». En tout cas, la fureur jalouse de Clayton avait été éveillée par ce qu'on lui avait dit... et lui, Harold, *se trouvait dans la chambre d'Elsie quand son mari était mort.* Rien ne prouvait qu'il n'avait pas délibérément attaqué Philip Clayton avec le presse-papiers... que le mari jaloux n'avait pas surpris sa femme dans ses bras. Il n'y avait qu'Elsie et lui pour prétendre le contraire. Les croirait-on ?

Il se sentit brusquement glacé de peur.

Non, impossible d'admettre un instant qu'on puisse les condamner à mort, Elsie ou lui, pour un meurtre qu'ils n'avaient pas commis. On ne pourrait guère les accuser que d'homicide par imprudence. Mais cela existait-il dans ce pays perdu ? De toute façon, en admettant que leur innocence soit reconnue, il y aurait une enquête... Les journaux en parleraient... *Un jeune politicien d'avenir... Un mari jaloux, une jolie femme...* Jamais sa carrière ne survivrait à un scandale pareil.

— Ne peut-on se débarrasser du corps, demanda-t-il brusquement. Le mettre quelque part ?

Il rougit sous le regard scandalisé de Mrs Rice.

— Mon cher Harold, nous ne vivons pas un roman policier ! Ce serait de la folie que d'essayer de faire une chose pareille.

— Oui, évidemment, admit-il. Mais que faire ? Mon Dieu, que faire ?

Mrs Rice secoua la tête, les sourcils froncés, elle réfléchissait désespérément.

— ... Peut-on faire quelque chose ? insista Harold. N'importe quoi pour éviter ce désastre !

— Elsie, ma petite fille, gémit Mrs Rice. Je ferais n'importe quoi pour elle. Cela la tuera... Vous aussi, votre carrière, tout...

— Ne pensez pas à moi, réussit à répondre Harold.

— Et tout cela est tellement injuste... Je sais, moi, qu'il n'y avait rien entre vous... Mais les autres gens !

— Oui, et comble de malheur, nous ne sommes pas en Angleterre.

— Mais... Mrs Rice releva la tête. C'est exact, nous ne sommes pas en Angleterre. Je me demande si l'on ne pourrait pas...

— Quoi donc ? dit vivement Harold.

— Combien avez-vous pris d'argent ? demanda Mrs Rice à brûle-pourpoint.

— Pas énormément. Mais je pourrais télégraphier qu'on m'en envoie davantage.

— Il nous en faudra pas mal, dit la vieille dame avec amertume. Mais je crois que cela vaut la peine d'essayer.

Harold entrevit une lueur d'espoir.

— Quelle est votre idée ?

— Nous n'avons aucun moyen de cacher cette mort *nous-mêmes* mais je pense qu'on peut essayer de faire étouffer l'affaire *officiellement* !

— Vous le croyez réellement ? demanda Harold, plein d'espoir mais légèrement incrédule.

— Oui, d'ailleurs, le gérant de l'hôtel sera de notre côté. Il n'a aucun intérêt à ébruiter l'affaire. Et, je le sais d'expérience, on peut acheter n'importe qui, dans les Balkans... Quant à la police, elle est sans doute plus corrompue que les civils... Fort heureusement, j'ai l'impression que personne, dans l'hôtel, n'a fait attention à ce qui s'est passé.

— Qui occupe la chambre à côté de celle d'Elsie ?

— Les deux Polonaises. Elles n'ont rien entendu, sans quoi elles seraient sorties dans le couloir. Philip est arrivé tard. Personne ne l'a vu, sauf le portier de nuit. Peut-être pourrons-nous réussir à obtenir un certificat de mort naturelle ? Le tout est de graisser suffisamment les pattes...

et de trouver l'homme qu'il faut... sans doute le chef de la police.

— Cela me paraît très vaudevillesque, dit Harold avec un pâle sourire. Enfin, on peut toujours essayer.

6

Mrs Rice se montra l'énergie en personne. Elle commença par convoquer le gérant. Harold resta dans sa chambre : il était convenu avec la vieille dame qu'il se tiendrait en dehors de la question. On ne parlerait que d'une querelle entre époux. La jeunesse et la beauté d'Elsie lui gagneraient davantage de sympathie.

Le lendemain matin, plusieurs représentants de la police arrivèrent à l'hôtel. On les conduisit dans la chambre de Mrs Rice. Ils repartirent à midi. Harold avait télégraphié qu'on lui envoyât de l'argent mais ne s'était mêlé de rien d'autre... ce qui n'eût d'ailleurs servi de rien, aucun des policiers ne parlant anglais.

Peu après midi, Mrs Rice vint dans sa chambre. Elle était pâle et semblait fatiguée. Mais l'impression de soulagement qu'on lisait sur ses traits était éloquente.

— *Ça a marché !* dit-elle simplement.

— Le ciel soit loué ! Vous avez été merveilleuse ! Cela paraît incroyable !

— Eh bien, d'après la facilité avec laquelle

tout a été fait, on pourrait croire que rien n'était plus normal. Ils tendaient littéralement la main. C'est... c'est vraiment répugnant !

— Ce n'est pas le moment d'épiloguer sur la corruption des services publics, dit sèchement Harold. Combien ?

— Le tarif est assez élevé.

Elle lut une colonne de chiffres en regard d'une liste de noms :

Le chef de la police.

Le commissaire.

L'agent.

Le médecin.

Le gérant de l'hôtel.

Le portier de nuit.

Harold ne se permit qu'un seul commentaire.

— Le portier de nuit ne touche pas grand-chose, dit-il.

— Selon l'histoire officielle, la mort n'aura même pas eu lieu à l'hôtel. Philip aura eu une crise cardiaque dans le train. Il sera tombé sur la voie... Vous savez qu'ils laissent toujours les portes ouvertes. C'est extraordinaire ce que peut faire la police quand elle essaye !

— Heureusement, la *nôtre* n'a pas ces habitudes-là !

Et, très conscient de sa supériorité britannique, Harold descendit déjeuner.

7

Le déjeuner terminé, le jeune homme rejoignit Mrs Rice et sa fille pour prendre le café. Il avait décidé de ne rien changer à ses habitudes.

Il n'avait pas encore revu Elsie depuis les événements de la nuit précédente. Elle était très pâle et tremblait visiblement encore sous le choc reçu. Mais elle faisait un louable effort pour se comporter comme d'habitude.

Ils cherchèrent à deviner la nationalité d'un hôte nouvellement arrivé. Harold le jugeait français pour avoir une moustache comme la sienne. Elsie, allemand, et Mrs Rice, espagnol.

Ils étaient seuls sur la terrasse, à l'exception des deux Polonaises. Comme toujours, à leur vue, Harold ne put réprimer un frisson.

Un groom vint dire à Mrs Rice qu'on la demandait. Elle se leva, suivit l'enfant et rejoignit avec lui, à l'entrée de l'hôtel, un policier en tenue.

Elsie réprima une petite exclamation.

— Vous... vous ne croyez pas qu'il est arrivé quelque chose ?

— Non, non, répondit vivement Harold.

Mais son cœur s'était serré.

— ... Votre mère a été merveilleuse, ajouta-t-il.

— Oui. Mère n'accepte jamais la défaite..., mais c'est horrible.

— N'y songez plus. Tout est fini.

— Je ne puis m'empêcher de penser que... que je l'ai tué.

— Chassez cette idée ! C'était un accident. Vous le savez bien... D'ailleurs, cela fait déjà partie du passé. Efforcez-vous de tout oublier.

Mrs Rice revenait.

— J'ai presque eu peur, dit-elle gaiement. Une simple formalité au sujet de vagues papiers. Tout va bien, mes enfants. Il me semble que nous pouvons boire quelque chose, cela en vaut la peine.

Ils commandèrent des liqueurs.

— A l'avenir ! dit Mrs Rice en levant son verre.

Harold sourit à Elsie.

— A votre bonheur !

Elle lui rendit son sourire.

— Au vôtre, répondit-elle, et à votre succès. Je suis sûre que vous serez un très grand homme !

Après la peur subie, ils se sentaient gais, presque légers. L'ombre s'était effacée. Tout allait bien...

A l'autre extrémité de la terrasse, les deux femmes au profil de vautour se levèrent. Elles roulèrent avec soin leur ouvrage de broderie, puis elles s'approchèrent du trio.

Elles adressèrent un signe de tête à Mrs Rice

et elles s'assirent à côté d'elle. L'une d'elles commença à parler, l'autre se contenta de regarder Elsie et Harold avec insistance. Un léger sourire jouait sur ses lèvres... un sourire déplaisant...

Mrs Rice écoutait l'autre parler, répondait un mot de temps à autre. Harold ne comprenait rien à la conversation mais toute gaieté avait fui de nouveau le visage de la mère d'Elsie.

Les deux sœurs se levèrent enfin, et après une inclinaison du buste, rentrèrent à l'hôtel.

— De quoi était-il question ? demanda vivement Harold.

— *Ces deux femmes veulent nous faire chanter. Elles ont tout entendu, la nuit dernière. Et, du fait que nous avons essayé d'étouffer l'affaire, cela rend tout cent fois pire... répondit Mrs Rice d'un ton désespéré.*

8

Harold Waring était au bord du lac. Depuis une heure, il marchait avec fièvre, cherchant à faire taire le désespoir qui l'avait envahi. Il arriva à l'endroit où, pour la première fois, il avait remarqué ces deux femmes impitoyables qui tenaient dans leurs griffes la vie d'Elsie et la sienne.

— Le diable emporte ces deux harpies ! dit-il tout haut.

Une toux légère le fit se retourner et il se retrouva face à face avec l'inconnu aux moustaches luxuriantes. Il avait dû entendre l'exclamation du jeune homme qui, gêné, ne trouva rien d'autre à dire que « Euh, bonjour ! »

— Cela ne semble pas un si bon jour que cela pour vous ! répondit l'autre en parfait anglais.

— C'est-à-dire que... euh...

— Vous êtes ennuyé, Monsieur. Puis-je quelque chose pour vous ?

— Oh ! Non ! Merci beaucoup ! Je... je lâchais un peu de vapeur !

— Mais j'ai l'impression que je *puis* vous aider. Je ne me trompe pas, n'est-ce pas, en associant vos ennuis avec les deux dames qui étaient sur la terrasse, tout à l'heure ?

Harold le regarda avec plus d'attention.

— Vous savez quelque chose sur elles ? Mais qui êtes-vous, au fait ?

— *Je suis Hercule Poirot,* répondit le petit homme comme s'il eût été de sang royal. Promenons-nous un petit peu sous les arbres et contez-moi votre histoire.

Harold ne sut jamais ce qui le poussa à tout raconter à cet homme qu'il connaissait depuis quelques minutes à peine. L'excès de tension nerveuse, peut-être...

Poirot l'écouta en silence, se contentant, de temps à autre, de hocher la tête, gravement.

— Les oiseaux du lac Stymphale, ces monstres au bec de fer qui se nourrissaient de chair humaine... oui, c'est tout à fait cela, dit-il, rêveur, quand Harold eut terminé son récit.

Le jeune homme le regaeda avec stupeur.

— Pardon ?

— Je réfléchis, c'est tout. J'ai une façon personnelle de regarder les choses. Quant à vous, votre situation me semble très désagréable.

— A qui le dites-vous !

— Ce n'est pas une plaisanterie, cette histoire de chantage. Ces harpies vont vous forcer à payer, payer sans cesse ! Et qu'arrivera-t-il si vous résistez ?

— Tout est fini, répondit Harold, amer. Ma carrière est ruinée et une malheureuse qui n'a jamais fait de mal à personne vivra un enfer, Dieu sait pourquoi !

— Oui. Il faut faire quelque chose.

— Quoi ?

Hercule Poirot ferma à demi les yeux et, une fois encore, Harold douta de son équilibre mental quand il l'entendit murmurer :

— Le moment est venu pour les castagnettes de bronze.

— Etes-vous fou ?

— Mais non. Je m'efforce seulement de suivre l'exemple de mon prédécesseur, Hercule. Patientez quelques heures, mon ami. Demain, sans doute, je serai en mesure de vous délivrer de vos persécutrices.

9

Harold Waring descendit le lendemain matin pour trouver Hercule Poirot, assis seul sur la terrasse. Malgré lui, ses promesses l'avaient impressionné. Il s'approcha de lui.

— Alors ? demanda-t-il, anxieux.

— C'est bien.

— Qu'entendez-vous par-là ?

— Tout est réglé de façon satisfaisante.

— Mais, qu'est-il *arrivé* ?

— J'ai employé les castagnettes de bronze. Ou, si vous préférez, j'ai fait vibrer les fils... Bref, j'ai télégraphié. Vos oiseaux du lac Stymphale, Monsieur, sont en un endroit où il leur sera impossible d'exercer leur ingéniosité pour quelque temps.

— La police les recherchait ? On les a arrêtées ?

— Exactement.

Harold respira avec force.

— Mais, c'est merveilleux ! Jamais je n'aurais cru... (Il se leva.) Il faut que je prévienne Mrs Rice et Elsie !

— Elles savent.

— Ah ! bon. (Il se rassit.) Dites-moi donc comment....

Il s'interrompit brusquement.

Deux femmes au profil d'oiseau de proie remontaient le sentier venant du lac.

— ... Mais, vous m'avez dit qu'on les avait emmenées !

Hercule Poirot suivit le regard du jeune homme.

— Oh ! Ces dames ? Mais elles sont parfaitement inoffensives. Des Polonaises de bonne famille. Peut-être leur aspect est-il un peu déplaisant, mais c'est tout.

— Mais je ne comprends pas !

— Non, en effet. Ce sont les *autres* femmes que la police recherchait... L'adroite Mrs Rice et la larmoyante Mrs Clayton. Ce sont, elles, des oiseaux de proie bien connus. Elles vivent de chantage, mon cher.

Harold eut l'impression que le monde se mettait à valser autour de lui.

— Mais, dit-il d'une voix faible... l'homme... celui qui a été tué ?

— Personne n'a été tué. Il n'y a pas eu d'homme.

— Je l'ai vu !

— Mais non. Mrs Rice, avec sa voix grave, tient très bien les rôles masculins. Elle a personnifié le mari, débarrassée de sa perruque grise pour la circonstance et grimée avec soin.

Poirot se pencha pour appliquer une petite tape sur le genou de son vis-à-vis.

« — ... Il ne faut pas être trop crédule, mon ami. On n'achète pas si facilement que cela la police de n'importe quel pays, surtout quand il est question d'un meurtre ! Mrs Rice, puisque parlant français et allemand, s'est occupée de tout. La police est venue dans sa chambre, oui. Mais que s'y est-il passé ? Vous l'ignorez. Peut-être a-t-elle dit avoir perdu une broche, un bijou quelconque. Mais vous l'avez vue. C'est le principal. Vous demandez qu'on vous envoie de l'argent, beaucoup d'argent, et vous le donnez à Mrs Rice qui s'occupe de tout ! Et voilà ! Mais ces oiseaux de proie sont difficilement rassasiables. Elles ont remarqué l'aversion que vous éprouvez pour ces deux malheureuses Polonaises. Elles ont une petite conversation parfaitement innocente avec Mrs Rice qui ne peut pas résister et recommence le jeu... Il vous faudra encore de l'argent. »

Harold fit un gros effort.

— Et Elsie... Elsie ?

Hercule Poirot évita de le regarder.

— Elle a très bien joué son rôle. Elle le fait toujours. C'est une excellente petite actrice. Tout, en elle, est très pur... très innocent. Elle sait éveiller les sentiments chevaleresques.... Cela rend toujours, avec les Anglais.

— Je vais me mettre au travail et apprendre toutes les langues européennes qui se parlent ! décida Harold. C'est bien la dernière fois qu'on se paiera ma tête de cette façon !

CHAPITRE VI

LA CEINTURE D'HIPPOLYTE

(THE GIRDLE OF HYPPOLITA)

1

Une chose en entraîne une autre, comme a coutume de le dire Poirot sans beaucoup d'originalité.

Il ajoute à cela qu'il n'en eut jamais de preuve plus convaincante que dans l'affaire du Rubens volé.

Cette affaire ne l'intéressait pas. D'une part, Rubens n'a pas l'heur de lui plaire en tant que peintre, de l'autre, les circonstances du vol étaient rien de plus qu'ordinaires. Il s'en chargea pour faire plaisir à Alexander Simpson qu'il considérait comme un ami et aussi pour des raisons personnelles liées à certains souvenirs mythologiques !

Après le vol, Alexander Simpson avait fait appeler Poirot et avait exhalé toute sa rancœur. Le Rubens, découvert depuis peu, était un chef-d'œuvre encore inconnu mais dont tout prouvait l'authenticité. Exposé dans la galerie de Simpson, on l'avait volé en plein jour. C'était à cette époque où les chômeurs avaient pris pour habitude de se coucher par terre en pleine rue ou d'envahir le *Ritz*. Quelques-uns d'entre eux étaient entrés dans la galerie Simpson, s'étaient étalés un peu partout avec des banderoles proclamant : « L'art est un luxe inutile. Nourrissez ceux qui ont faim. » On avait fait appeler la police, une foule de curieux s'était amassée et l'on n'avait constaté le vol du Rubens — bien proprement coupé à l'intérieur de son cadre — qu'avec le retour au calme.

— Ce n'est qu'un petit tableau, expliqua Simpson. N'importe qui a pu l'emporter roulé sous le bras pendant que tout le monde avait les yeux fixés sur ces abrutis de sans travail !

Les abrutis en question avaient été payés, on le sut plus tard, pour manifester précisément dans la galerie. Mais ils en avaient ignoré la véritable raison.

Poirot avait jugé l'idée amusante mais estimait la police beaucoup plus qualifiée que lui pour résoudre l'affaire.

— Ecoutez-moi, Poirot, insista Simpson. Je sais qui a volé la toile et où elle est partie.

A en croire le propriétaire de la galerie, un gang de voleurs internationaux aurait agi pour le compte d'un certain millionnaire qui n'éprouvait aucun scrupule à acquérir des œuvres d'art... à très bas prix. Le Rubens, dit Simpson, serait passé en fraude en France d'où il serait livré au millionnaire. Les polices anglaise et française étaient alertées mais Simpson ne se faisait aucune illusion quant aux résultats qu'elles obtendraient.

— ... Et, une fois que le vieux saligaud aura reçu sa livraison, ce sera beaucoup plus difficile. Les gens riches doivent être traités avec respect. C'est là que *vous* intervenez. La situation sera délicate. Vous êtes l'homme qu'il faut.

Et, pour finir, Hercule Poirot, sans aucun enthousiasme, se vit contraint d'accepter de s'occuper de l'affaire et de partir pour la France, aussitôt. Son enquête ne l'intéressait pas mais c'est par elle qu'il put en mener une autre plus intéressante à son goût : celle de l'écolière disparue.

C'est l'inspecteur-chef Japp qui lui en parla le premier. Il arriva à l'impromptu chez le détective au moment où celui-ci passait en revue les valises faites par son valet de chambre.

— Ah ! dit Japp, vous partez pour la France ?

— Mais on est bien informé, à Scotland Yard, à ce qu'il paraît.

Japp émit un petit gloussement.

— Nous avons nos espions ! Simpson vous a chargé de l'affaire de son Rubens. Il n'a pas confiance en nous, on dirait ! Enfin, aucune importance. Comme vous allez à Paris, j'ai pensé que vous pourriez faire d'une pierre deux coups. L'inspecteur Hearn est sur place et il collabore avec les Français. Mais vous connaissez Hearn... Un brave type mais plutôt dépourvu... d'imagination. J'aimerais avoir votre opinion.

— A quel sujet ?

— Une gosse a disparu. Les journaux de ce soir en parlent. Tout laisse croire qu'elle a été enlevée. Elle s'appelle Winnie King. C'est la fille d'un chanoine de Cranchester.

Winnie, partie de Cranchester, était en route pour Paris où elle devait séjourner dans l'institution de Miss Pope, établissement de grande classe à l'usage des Américaines et des Anglaises. A Londres, une employée d'Elder Sister Limited s'était chargée de la conduire à la gare Victoria où elle l'avait remise entre les mains de Miss Burshaw, l'assistante de Miss Pope. Et, en compagnie de dix-huit autres jeunes filles, elle avait quitté Victoria par le train-paquebot. Dix-neuf jeunes filles avaient traversé la Manche, passé la douane à Calais, grimpé dans le train de Paris et déjeuné au wagon-restaurant. Mais quand, dans la banlieue de Paris, Miss Burshaw avait compté ses brebis, elle n'en avait plus trouvé que dix-huit !

— Ah, ah ! fit Poirot. Le train s'est-il arrêté quelque part ?

— A Amiens, mais, à ce moment-là, toutes les gamines étaient au wagon-restaurant et elles assurent toutes que Winnie était avec elles. Elles l'ont perdue, pour tout dire, en retournant dans leurs compartiments. Elles n'y ont pas attaché d'importance et ont simplement cru qu'elle se trouvait dans une autre voiture.

— Quand l'ont-elle vue pour la dernière fois ?

— Environ dix minutes après le départ d'Amiens.

Japp eut une petite toux gênée : « On l'a vue... euh... entrer aux toilettes. »

— Cela me paraît très naturel, commenta Poirot. Rien d'autre ?

— Oui. Une chose. On a retrouvé son chapeau à côté de la voie... à vingt kilomètres environ d'Amiens.

— Mais pas de corps ?

— Non.

— Et quelle est votre opinion personnelle ?

— C'est difficile à dire ! Comme il n'y a aucune trace de cadavre... elle n'a pas pu tomber du train.

— Celui-ci ne s'est pas arrêté après Amiens ?

— Non. Il a ralenti une fois à cause d'un signal. Mais je doute qu'il ait perdu assez de vitesse pour permettre à quelqu'un de sauter sans se blesser. Vous pensez peut-être que la gamine a été prise de peur et qu'elle a voulu s'enfuir ? C'était la première fois qu'elle allait en pension et peut-être avait-elle déjà le mal du pays ? C'est possible. Mais, tout de même, elle avait quinze ans et demi ! Et, pendant tout le voyage, elle s'était montrée d'excellente humeur et elle bavardait comme une pie.

— A-t-on fouillé le train ?

— Bien sûr, juste avant d'arriver à la gare du Nord. La petite n'y était pas. C'est une certitude.

L'inspecteur poussa un soupir exaspéré : « Elle a disparu ! C'est incompréhensible, ridicule ! »

— Quel genre de fille est-ce ?

— Tout a fait courant, normal, pour autant que j'aie pu m'en rendre compte.

— Je vois... A quoi ressemble-t-elle ?

— J'ai une petite photo d'elle. Oh ! ce n'est pas une beauté fracassante.

Il tendit l'épreuve à Poirot qui l'étudia en silence. Le photographe avait pris son modèle sur le vif. On voyait une fille dégingandée en train de manger une pomme. Ses lèvres ouvertes laissaient voir des dents un peu protubérantes retenues par un appareil. Elle avait deux tresses un peu maigres et portait des lunettes.

— Quelconque, hein ? dit Japp. Mais elles le sont toutes, à cet âge-là. Du jour au lendemain, elles se transforment en reine de beauté. Je me demande comment elles font leur compte, cela tient du miracle !

Poirot sourit.

— Rien n'est miraculeux pour une femme ! dit-il. Et la famille de cette enfant ? A-t-elle dit quelque chose qui puisse servir ?

Japp secoua la tête.

— Rien du tout. La mère est malade. Le père est bouleversé. Il jure ses grands dieux que la petite était ravie d'aller à Paris... Elle attendait son départ avec impatience. Elle voulait étudier la peinture et la musique. Les élèves de Miss Pope sont vouées à l'art. L'école est très connue, fréquentée par les jeunes filles des meilleures familles. On n'y accepte pas n'importe qui et c'est fort cher.

Poirot poussa un soupir.

— Je vois le genre. Et cette Miss Burshaw, qui a pris livraison des pensionnaires en Angleterre ?

— Elle n'a pas été très servie au point de vue cerveau. Elle est terrifiée à l'idée que Miss Pope lui attribue toute la responsabilité ?

— Il n'y a aucun jeune homme à l'horizon ?

Japp eut un geste éloquent vers la photo.

— A-t-elle une tête à ça ?

— Evidemment pas, mais cela ne l'empêche peut-être pas d'avoir un cœur romanesque. A quinze ans, ce n'est pas trop tôt.

— Eh bien, si un cœur romanesque suffit à

vous faire évaporer d'un train en marche, je vais me mettre à lire des romans d'amour !

Puis le policier leva un regard plein d'espoir sur Poirot :

— ... Vous ne voyez rien ?

Poirot secoua lentement la tête.

— N'aurait-on pas aussi, par hasard, trouvé ses chaussures, à côté de la voie ? demanda-t-il.

— Des chaussures ? Non, pourquoi ?

— Une idée, simplement...

2

Hercule Poirot était juste sur le point de descendre pour prendre un taxi lorsque le téléphone sonna.

— Oui ?

C'était Japp.

— Content de vous avoir ! Tout est réglé. mon vieux. Je viens de trouver un message du Yard. La gosse est retrouvée. Sur le bord de la route, à une vingtaine de kilomètres d'Amiens. Elle est complètement ahurie. On n'a pas pu lui tirer une histoire cohérente. D'après le médecin, on l'aurait droguée... De toute façon, elle est tirée d'affaire et elle est en bonne santé.

Alors, dit lentement Poirot, vous n'avez plus besoin de mes services ?

— Eh bien, non ! Désolé de vous avoir dérangé !

Japp rit et raccrocha.

Mais Hercule Poirot, lui, ne rit pas. C'est même le visage grave qu'il reposa le récepteur.

3

L'inspecteur Hearn regarda Poirot avec surprise.

— Je n'aurais pas pensé que cela vous intéresserait tellement, Monsieur.

— L'inspecteur-chef Japp vous a bien dit, n'est-ce pas, que je pouvais vous consulter sur cette affaire ?

— Oui. Il m'a dit que vous veniez pour en traiter une autre mais que vous nous donneriez un coup de main pour résoudre cette énigme-là. Mais je ne vous attendais plus puisque c'est fini. Je vous croyais occupé avec votre travail.

— Celui-ci peut attendre. Pour l'autre affaire, celle qui m'intéresse, l'énigme demeure, n'est-ce pas ?

— C'est-à-dire que l'enfant est retrouvée. Elle n'est pas blessée. C'est le principal.

— Mais cela ne résout pas le problème. Comment est-elle revenue ? Que dit-elle ? Elle a été examinée par un médecin. Que dit celui-ci ?

— On l'a droguée. Elle était encore un peu dans le cirage. Elle ne se souvient de rien après son départ de Cranchester. Elle a peut-être eu une légère commotion cérébrale. Elle a une ecchymose à la base du crâne. D'après le médecin, cela expliquerait sa perte de mémoire.

— Ce qui est bien pratique... pour quelqu'un, fit remarquer Poirot.

— Vous ne pensez pas qu'elle joue la comédie, Monsieur ?

— Et vous ?

— Non. Je suis persuadé du contraire. C'est une gentille gosse... un peu jeune pour son âge.

— Elle est sincère, dit Poirot. Mais *comment a-t-elle quitté le train ?* Je veux savoir qui est responsable, et *pourquoi ?*

— Pour ça, je pense qu'il s'est agi d'une tentative d'enlèvement. On voulait la garder pour réclamer une rançon.

— Mais on ne l'a pas fait !

— On a eu peur à cause du bruit que ça a fait... et on l'a laissée en plan, sur la route.

— Et quelle rançon espérait-on tirer d'un chanoine de la cathédrale de Cranchester ? demanda Poirot sceptique. Les dignitaires de l'Eglise anglaise ne sont pas millionnaires.

— A mon avis, c'est du travail bousillé, Monsieur.

— Ah ! C'est votre avis ?

— Et le vôtre, Monsieur ?

— Je veux savoir *comment* elle a disparu de ce train. Quels étaient les autres voyageurs de la voiture dans laquelle Miss Pope avait fait réserver des compartiments ?

Hearn eut un hochement de tête approbateur et sortit son calepin.

— Miss Jordan et Miss Butters, deux célibataires d'un certain âge qui se rendaient en Suisse. Rien à redire sur elles, très favorablement connues dans le Hampshire d'où elles venaient : deux voyageurs de commerce français, l'un de Lyon, l'autre de Paris. Parfaitement respectables. Un jeune homme, James Eliott et sa femme, ah ! un joli morceau, celle-là ! Le mari a une mauvaise réputation. La police le soupçonne de s'être livré à des transactions très discutables. Mais il n'a jamais touché au kidnapping. De toute façon, on a fouillé son compartiment et l'on a rien trouvé de suspect dans ses bagages. Et, enfin, une Américaine, Mrs Van Suyder, qui se rendait à Paris. On ne sait rien sur elle. Mais elle paraît bien. C'est tout.

— Le train ne s'est plus arrêté après Amiens, c'est absolument certain ?

— Absolument. Il a ralenti une fois mais pas assez pour permettre à quelqu'un de sauter sans se blesser ou même se tuer.

— C'est justement ce qui rend cette affaire si intéressante. L'écolière disparaît comme par enchantement *juste après Amiens*. Et elle réapparaît, comme par enchantement, *juste après Amiens*. Où était-elle entre-temps ?

— Cela semble fou, présenté comme ça, dit l'inspecteur en secouant la tête. Ah ! au fait, on m'a dit que vous aviez parlé de chaussures. La gamine était chaussée quand on l'a retrouvée mais un employé de la S. N. C. F. a trouvé une paire de souliers sur la voie. Il les a emportés car ils étaient en bon état. Des chaussures de marche, solides, noires.

— Ah ! dit Poirot, manifestement satisfait. Hearn le regarda avec curiosité.

— Je ne comprends pas, Monsieur. Ces chaussures auraient donc une signification ?

— Elles confirment une théorie, répondit Poirot.

4

Comme beaucoup d'établissements du même ordre, l'école de Miss Pope se trouvait à Neuilly. Hercule Poirot arrêté, un instant, dans la contemplation de la façade à l'aspect fort respectable, se trouva brusquement submergé dans un flot de jeunes filles jaillissant par la grand-porte.

Il en compta vingt-cinq, toutes habillées de la même robe bleu marine et coiffée du même chapeau disgracieux. De quatorze à dix-huit ans, les écolières offraient des types variés de grâce et de gaucherie, de teints clairs ou brouillés, de tailles sveltes ou épaisses. Une femme aux cheveux gris fermait la marche. Ce devait être Miss Burshaw.

Poirot attendit une minute avant de sonner et de demander à voir Miss Pope.

Miss Lavina Pope était très différente de sa collaboratrice, Miss Burshaw. Elle avait de la personnalité, inspirait le respect. Elle était coiffée avec goût, habillée avec sévérité mais chic. En un mot, elle avait de l'allure.

Le bureau dans lequel elle reçut Poirot était celui d'une femme cultivée. De beaux meubles, des fleurs, des reproductions d'œuvres de maîtres et quelques jolies aquarelles. Encadrées, dédicacées, les photographies de quelques-unes de ses élèves qui avaient fait leur chemin dans le monde.

Miss Pope accueillit Poirot avec l'assurance de quelqu'un qui se trompe rarement.

— Monsieur Hercule Poirot ? Je connais votre nom, Monsieur. Sans doute êtes-vous venu au sujet de la malheureuse aventure de Winnie King ? Un incident bien attristant.

Miss Pope ne semblait pas attristée le moins du monde. Elle prenait le désastre en question selon sa valeur et le réduisait à sa plus simple expression.

— ... Cela ne s'était jamais produit. Et cela ne se reproduira plus !

— Cette jeune fille était une nouvelle élève, n'est-ce pas ?

— En effet.

— Aviez-vous eu une entrevue préliminaire avec Winnie... et avec ses parents ?

— Non. Pas récemment. Il y a deux ans de cela, je séjournais à côté de Cranchester... chez l'évêque exactement...

(Tout, en Miss Pope, proclamait : notez, je vous prie, *l'Evêque !*)

« ... J'ai fait alors la connaissance du chanoine et de Mrs King, laquelle, hélas ! est impotente. J'ai vu Winnie. Une jeune fille très bien élevée, manifestant beaucoup de goût pour les arts. J'ai dit à Mrs King que je serais heureuse de l'accueillir ici... à l'issue de ses études ordinaires. Nous formons nos élèves à l'art, Monsieur Poirot. Elles sont conduites à l'Opéra, à la Comédie-Française, au Louvre. où elles suivent des cours. Les meilleurs maîtres viennent ici leur donner des leçons de musique, de chant, de peinture.

Miss Pope se souvint brusquement que Poirot n'était pas un « Parent ».

« ... Que puis-je pour vous, Monsieur ?

— Je serais heureux de savoir quelle est la situation présente en ce qui concerne Winnie ?

— Le chanoine King est venu à Amiens et il a emmené sa fille avec lui. C'était ce qu'il y avait de plus sage après le choc qu'a subi cette pauvre enfant... Nous ne prenons pas d'élèves à la santé délicate. Nous ne sommes pas bien équipés pour veiller sur les malades.

— Que s'est-il passé, à votre avis, Mademoiselle ? demanda Poirot sans ambages.

— Je n'en ai pas la moindre idée. L'histoire, telle qu'on me l'a racontée, me semble incroyable.

— Peut-être avez-vous reçu une visite de la police ?

Miss Pope eut un léger frisson. Son ton se fit glacial.

— Un M. Lefarge, de la préfecture de Police, est venu me voir dans l'espoir que je serais en mesure de jeter quelque lueur sur cette affaire. J'en ai été, bien entendu, incapable. Il a demandé ensuite à inspecter la malle de Winnie arrivée ici avec celles des autres élèves. Je lui ai dit que cela avait déjà été fait par un autre membre de la police. Entre nous, ils manquent de méthode ! Peu de temps après, on me téléphonait pour me reprocher de ne pas avoir donné toutes les affaires de Winnie. Je me suis montrée très ferme. Il ne faut pas s'en faire imposer !

— Vous avez beaucoup de personnalité et je vous en félicite, Mademoiselle. La malle de Winnie avait été défaite à son arrivée, je suppose ?

Miss Pope perdit un peu de sa belle assurance.

— Question de routine. Il en faut absolument. On défait effectivement les malles des élèves lorsqu'elles arrivent et leurs affaires sont rangées selon un ordre déterminé. Celles de Winnie ont subi le sort commun. Naturellement, par la suite, on a refait sa malle qui a été rendue dans l'état exact de celui dans lequel elle était arrivée.

— *Exact ?* répéta Poirot qui s'était levé, approché du mur.

« ... C'est là, je crois, une vue du fameux pont de Cranchester, avec la cathédrale, au fond ? »

— Vous avez parfaitement raison. Winnie a, de toute évidence, peint cela pour me faire une surprise. C'était dans sa malle, enveloppé dans un papier sur lequel elle avait écrit : « Pour Miss Pope, de la part de Winnie. » Un geste très touchant.

— Ah ! dit Poirot. Et qu'en pensez-vous... en tant que peinture ?

Il avait, lui-même, vu beaucoup de reproductions du pont de Cranchester, à l'huile, à l'aquarelle, au fusain, au crayon. De jolies choses, des œuvrettes ; bien, moins bien, médiocres, pénibles mais affreuses à ce point, jamais encore.

Miss Pope eut un sourire indulgent.

— Il ne faut jamais décourager un enfant, cher Monsieur. Winnie apprendra à mieux faire.

— Il aurait semblé plus normal qu'elle fît une aquarelle, n'est-il pas vrai ?

— Effectivement. J'ignorais qu'elle s'adonnât à la peinture à l'huile.

— Puis-je me permettre, Mademoiselle...

Et, décrochant le tableau, Poirot le porta jusqu'à la fenêtre où il l'examina avec attention.

« ... Mademoiselle, je vais vous demander de me donner cette peinture. »

— C'est que, Monsieur...

— Vous n'allez pas prétendre y être attachée... Elle est abominable.

— Oh ! cela n'a aucune valeur artistique, je l'avoue. Mais c'est le travail d'une élève et...

— Je vous assure, Mademoiselle, que ce tableau n'est pas à sa place sur votre mur.

— Mais, pourquoi cela, Monsieur ?

— Je vais vous le prouver dans un instant, mais écoutez la petite histoire du vilain petit canard qui était devenu un cygne.

Tout en parlant, le détective avait tiré de ses poches une bouteille, une éponge et quelques chiffons et s'était mis à l'œuvre.

Une odeur de thérébentine envahit la pièce.

— Peut-être n'allez-vous pas au théâtre assister à des revues ?

— Non, effectivement. C'est d'un vulgaire...

— Oui, sans doute, mais parfois fort instructif. J'ai vu une artiste de variété changer de personnalité de la façon la plus extraordinaire. Dans un tableau, c'est une étoile de cabaret exquise, pétrie de charme. Dix minutes plus tard, c'est une enfant anémique en uniforme de pensionnaire, dix minutes encore et elle apparaît sous les traits d'une bohémienne disant la bonne aventure...

— C'est fort possible, mais je ne vois pas...

— Mais je vous démontre le charme qui a opéré dans le train. Winnie l'écolière avec ses tresses pâles, ses lunettes, son appareil dentaire qui lui déforme la bouche, entre aux toilettes. Elle en ressort un quart d'heure plus tard transformée en un « beau petit morceau », selon l'expression de l'inspecteur Hearn. Des bras fins, de hauts talons... un manteau de vison pour couvrir la robe d'uniforme, une petite chose en velours perchée sur ses boucles et du mascara, du fond de teint, du rouge sur les lèvres ! A quoi ressemble le vrai visage de cette jeune personne, Dieu seul le sait. Mais, vous-même, Mademoiselle, vous avez pu constater comment une écolière gauche devient une débutante ravissante.

Miss Pope étouffa une exclamation.

— Voulez-vous dire que Winnie King s'est déguisée...

— Non. Pas elle. On l'a enlevée *entre Cranchester et Londres* et quelqu'un l'a remplacée. Miss Burshaw n'avait jamais vu Winnie King. Comment pouvait-elle savoir que l'écolière aux tresses maigres et à l'appareil dentaire qu'elle a pris en charge n'était pas elle ? Jusque-là, c'était très bien mais la supercherie ne pouvait pas se poursuivre jusqu'ici. *Vous* connaissiez la vraie Winnie. La fausse Winnie disparaît donc pour reparaître sous les traits de la femme de Jim Eliott. Les tresses postiches, les bas de fil, l'appareil dentaire... tout cela ne tient pas beaucoup de place. Mais les grosses chaussures et le chapeau passent par la fenêtre. Un peu plus tard, on fait traverser la Manche à la vraie Winnie et une voiture la transporte et l'abandonne sur la route entre Amiens et Paris. Si on lui a administré de la scopolamine, elle ne gardera pratiquement aucun souvenir de ce qui lui est arrivé.

— Mais pourquoi ? demanda Miss Pope qui avait perdu un peu de sa dignité. Quelle est la raison d'une telle mascarade ?

— A cause des bagages de Winnie. On voulait faire passer d'Angleterre en France un objet que toutes les douanes recherchent... Un objet volé. Quel endroit plus sûr que la malle d'une collégienne ? Votre école, Mademoiselle, jouit d'une grande réputation. A la gare du Nord, les bagages de vos pensionnaires passent en bloc ! Et ensuite, après l'enlèvement, quoi de plus logique que de faire chercher sa malle... ostensiblement par un employé de la Préfecture. Mais, fort heureusement, les habitudes de l'école ont voulu que cette malle ait déjà été vidée de ses affaires, comprenant un présent de Winnie... *mais non pas celui qu'elle avait emporté de Cranchester.*

« Vous m'avez donné ce tableau, Mademoiselle ? Vous admettrez, n'est-ce pas, qu'il ne convient pas au genre de votre établissement ? »

Et Poirot tendit la toile à Miss Pope.

Le « Pont de Cranchester » avait disparu comme par magie, une scène très classique traitée en couleurs fondues le remplaçait. « La ceinture d'Hippolyte. » Hippolyte donnant sa ceinture à Hercule peint par Rubens.

— Une grande œuvre d'art... mais tout de même, pour votre bureau...

Miss Pope rougit légèrement.

Hippolyte, d'une main, dégrafait sa ceinture, son seul vêtement... Hercule avait une peau de lion jetée sur l'épaule.

— C'est fort beau, dit Miss Pope qui avait retrouvé son sang-froid... « Cependant... comme vous le dites... il faut ménager la susceptibilité des parents. Certains d'entre eux montrent une certaine tendance à l'étroitesse d'esprit... »

5

Hercule Poirot avait à peine franchi le seuil de l'école qu'il fut littéralement pris d'assaut par un troupeau d'adolescentes de toutes tailles et de toutes carnations. En un instant, il fut encerclé, serré de près.

« Mon Dieu, murmura-t-il. Est-ce l'attaque des Amazones ? »

Vingt-cinq voix aiguës répétaient la même phrase :

— *Monsieur Poirot, voulez-vous signer mon livre d'autographes ?*

FIN

Les Reines du Crime

Nouvelles venues ou spécialistes incontestées, les grandes dames du roman policier dans leurs meilleures œuvres.

BLACKMON Anita
1912 On assassine au Richelieu
1956 On assassine au Mont-Lebeau

BRAND Christianna
1877 Narcose
1920 Vous perdez la tête

CANNAN Joanna
1820 Elle nous empoisonne

CHRISTIE Agatha
(86 titres parus, voir catalogue général)

CURTISS Ursula
1974 La guêpe

DISNEY Dorothy C.
1937 Carnaval

DISNEY D.C. & PERRY G.
1961 Des orchidées pour Jenny

EBERHARDT Mignon
1825 Ouragan

GOSLING Paula
1971 Trois petits singes et puis s'en vont
1999 L'arnaque n'est plus ce qu'elle était

KALLEN Lucille
1816 Greenfield connaît la musique
1836 Quand la souris n'est pas là...

LEE Gypsy Rose
1893 Mort aux femmes nues
1918 Madame mère et le macchabée

LE FAUCONNIER Janine
1639 Le grain de sable
1915 Faculté de meurtres
(Prix du Festival de Cognac 1988)

LONG Manning
1831 On a tué mon amant
1844 L'ai-je bien descendue?
1988 Aucun délai

McCLOY Helen
1841 En scène pour la mort
1855 La vérité qui tue

McGERR Pat
1903 Ta tante a tué

McMULLEN Mary
1921 Un corps étranger

MILLAR Margaret
723 Son dernier rôle
1845 La femme de sa mort
1896 Un air qui tue
1909 Mortellement vôtre
1982 Les murs écoutent
1994 Rendons le mal pour le mal
1996 Des yeux plein la tête
2010 Un doigt de folie

MOYES Patricia
1824 La dernière marche
1856 Qui a peur de Simon Warwick?
1865 La mort en six lettres
1914 Thé, cyanure et sympathie

NATSUKI Shizuko
1861 Meurtre au mont Fuji
1959 La promesse de l'ombre
(Prix du Roman d'Aventures 1989)

NIELSEN Helen
1873 Pas de fleurs d'oranger

RADLEY Sheila
1977 Trois témoins qui lui voulaient du bien

RENDELL Ruth
1451 Qui a tué Charlie Hatton?
1501 Fantasmes
1521 Le pasteur détective
1563 L'enveloppe mauve
1582 Ces choses-là ne se font pas
1616 Reviens-moi
1629 La banque ferme à midi
1640 Un amour importun *(sept. 90)*
1649 Le lac des ténèbres
1718 La fille qui venait de loin
1747 La fièvre dans le sang *(oct. 90)*
1773 Qui ne tuerait le mandarin? *(nov. 90)*

LE MASQUE

AMELIN Michel
1952 Les jardins du casino
(Prix du Festival de Cognac 1989)

BACHELLERIE
1791 L'île aux muettes
(Prix du roman d'Aventures 1985)
1795 Pas de quoi noyer un chat
(Prix du Festival de Cognac 1985)
1796 Il court, il court, le cadavre
1800 La rue des Bons-Apôtres

BRETT Simon
1787 Le théâtre du crime
1813 Les coulisses de la mort
1972 Les gens de Smithy's
2030 D'amour et d'eaux troubles
(déc. 90)

BURLEY W.J.
1762 On vous mène en bateau

CHRISTIE Agatha
(86 titres parus, voir catalogue général)

COLLINS Max Allan
1966 Un week-end tuant
2017 Pas de pitié pour ceux qu'on aime
(sept. 90)

EXBRAYAT
(96 titres parus, voir catalogue général)

GRISOLIA Michel
1846 L'homme aux yeux tristes
1847 La madone noire
1874 La promenade des anglaises
1890 650 calories pour mourir
1930 Question de bruit ou de mort

HALTER Paul
1878 La quatrième porte
(Prix du Festival de Cognac 1987)
1922 Le brouillard rouge
(Prix du roman d'Aventures 1988)
1931 La mort vous invite
1967 La mort derrière les rideaux
2002 La chambre du fou

HAUSER Thomas
1853 Agathe et ses hommes

JONES Cleo
1879 Les saints ne sont pas des anges

LECAYE Alexis
1963 Un week-end à tuer

POSLANIEC Christian
1998 Les fous de Scarron
(Prix du Festival de Cognac 1990)

SALVA Pierre
1739 Quand le diable ricane
1828 Le diable au paradis perdu

TAYLOR Elizabeth A.
1810 Funiculaire pour la morgue

TERREL Alexandre
1733 Rendez-vous sur ma tombe
1749 Le témoin est à la noce
(Prix du Roman d'Aventures 1984)
1757 La morte à la fenêtre
1777 L'homme qui ne voulait pas tuer
1792 Le croque-mort de ma vie
1801 Le croque-mort s'en va-t-en bière
1822 Le croque-mort et les morts vivants
1867 Le croque-mort et sa veuve
1925 Le croque-mort a croqué la pomme
1997 Le croque-mort s'en mord les doigts

UNDERWOOD Michaël
1817 Trop mort pour être honnête
1842 A ne pas tuer avec des pincettes

VARGAS Fred
1827 Les jeux de l'amour et de la mort
(Prix du Festival de Cognac 1986)

Le Club des Masques

BARNARD Robert
535 Du sang bleu sur les mains
557 Fils à maman

CASSELLS John
465 Solo pour une chanteuse

CHRISTIE Agatha
(86 titres parus, voir catalogue général)

DIDELOT Francis
524 La loi du talion
488 Le double hallali

ENDRÈBE Maurice Bernard
543 Gondoles pour le cimetière

EXBRAYAT
(96 titres parus, voir catalogue général)

FERRIÈRE Jean-Pierre
515 Cadavres en vacances
536 Cadavres en goguette

FOLEY Rae
527 Requiem pour un amour perdu

HINXMAN Margaret
542 Le cadavre de 19 h 32 entre en gare

KRUGER Paul
513 Brelan de femmes

LONG Manning
519 Noël à l'arsenic
529 Pas d'émotions pour Madame

SALVA Pierre
503 Le trou du diable

SIMPSON Dorothy
533 Le chat de la voisine

STEEMAN Stanislas-André
586 L'assassin habite au 21
587 Six hommes morts
588 Le condamné meurt à 5 heures
589 Légitime défense (Quai des Orfèvres)
590 Le trajet de la foudre
592 La nuit du 12 au 13
594 Le mannequin assassiné
596 Un dans trois

THOMSON June
521 La Mariette est de sortie
532 Champignons vénéneux

UNDERWOOD Michaël
531 La main de ma femme
538 La déesse de la mort

IMPRIMÉ EN FRANCE PAR BRODARD ET TAUPIN
Usine de La Flèche (Sarthe).
ISBN : 2 - 7024 - 1386 - 2
ISSN : 0768 - 0384

H 31/0590/5